Ignacio Aldecoa — 1965   *photo by* — *James H. Abbott*

PUBLICATIONS OF THE DEPARTMENT OF MODERN AND
CLASSICAL LANGUAGES OF THE UNIVERSITY OF WYOMING

*This edition has been made available for complimentary distribution under
the auspices of the Division of Basic Research, College of Arts and Sciences,
University of Wyoming.*

IGNACIO ALDECOA:
A COLLECTION
OF CRITICAL ESSAYS

Edited by

Ricardo Landeira
Associate Professor of Spanish
University of Wyoming

Carlos Mellizo
Professor of Spanish
University of Wyoming

UNIVERSITY OF WYOMING
Department of Modern and Classical Languages
1977

TABLE OF CONTENTS

FOREWORD

The Department of Modern and Classical Languages of the University of Wyoming is pleased to present a second volume of what we hope will become a series. The first was dedicated to a universally known author, Azorín, on the occasion of the 100th anniversary of his birth. Our present publication is a change of focus in that we have selected an author who is less known to American students of Spanish. Ignacio Aldecoa, to judge by the contents of this volume alone, merits closer attention from American audiences. He has a unity of vision that is lacking from much of the recent literature of this century. His characters are defined with relation to the society in which they live. Their work, their poverty, their social grouping are clearly depicted. Even if Aldecoa's art only consisted of these elements, it would be of great value to non-Spanish readers for what it reveals of its native culture. However, the universality of his figures makes the reading of his work a significant emotional and intellectual undertaking. The Language Department's intention in publishing this volume is, in a modest way, to make the work of Ignacio Aldecoa more accessible and understandable to the American university audience.

The Department of Modern and Classical Languages would like to express its gratitude to the contributors to this volume. We are also grateful for the time and effort expended by Prof. Carlos Mellizo and Prof. Ricardo Landeira in the preparation and editing of this volume. We hope to be able to rely on the generosity of these and other colleagues for future scholarly publications.

M. Ian Adams, *Head*

PRESENTACION

A pesar de la dificultad que para los estudiantes de lengua inglesa entraña la obra de Ignacio Aldecoa —una dificultad que responde a la misma configuración del lenguaje literario de este narrador— durante los últimos años su nombre ha ido siendo incorporado con insistencia creciente a los programas de estudios hispánicos de las universidades norteamericanas. El hecho es halagador si se tiene en cuenta que quienes en los Estados Unidos se acercan a los escritos de Aldecoa suelen penetrar en lo que éstos tienen de más auténticamente valioso.

Aldecoa podría, por qué no, ser interpretado desde un ángulo exclusiva o principalmente socio-costumbrista. Pero tiene que ser poderosa la virtud narrativa de un autor que, como él, obliga de continuo a trascender la costumbre, sin renunciar jamás a ella. El carácter testimonial de sus novelas y relatos, aun siendo innegable, empuja siempre al lector a un nivel de apreciación más hondo y más ancho que el que pudiera desprenderse del mero documento.

La España de Aldecoa suele ser la España de la escasez, la España del jornal y de los oficios, la España del vagabundo y del mendigo. Dicho con sus propias palabras, es la materia novelada de Aldecoa esa "realidad española, cruda y tierna a la vez," cuyo tratamiento —y esto es lo que importa— se instala en un orden de verdades humanas al que sólo en contadas ocasiones ha logrado tener acceso la intuición creadora. Quizás eso da razón de por qué Aldecoa, muy distanciado en su temática de otro mundo que no fuese el que inmediatamente lo rodeaba, sea, no obstante, capaz de suscitar una esencial *simpatía* en latitudes tan apartadas de las suyas. No hay entre sus páginas ninguna que suene a falsa. Y, según parece, viene a resultar que, pese a todo, la veracidad sigue siendo un modo válido de salvar el espacio y de permanecer en el tiempo.

Si hubiera un paradigma de lo que es o debe ser "el escritor," no cabe duda de que, a su modo, Aldecoa no andaría lejos de encarnarlo. En un momento que, como el presente, tiende con no poca frecuencia a la excesiva subjetivación, o al nudo objetivismo, o al síndrome experimentalista, emana de su obra, tomada en conjunto, una virtud de equilibrio, que a nadie puede pasarle inadvertida. La producción novelística de Aldecoa habría quizá que mirarla como indicio de un itinerario más ambicioso que, truncado por una muerte temprana, no llegó a materializarse por completo. Pero sí nos dejó Aldecoa una apretada colección de narraciones cortas que solas bastarían para situarlo, y con creces, mucho más allá del ámbito de la simple promesa.

Este volumen —segundo de la serie de publicaciones del Departamento de Lenguas Modernas y Clásicas de la Universidad de Wyoming— encierra el propósito de ofrecer a los estudiantes y profesores interesados en la obra del escritor alavés un conjunto de estudios críticos que esperamos contribuyan a delinear con mayor vigor su perfil literario. Las divergencias de apreciación que pueden observarse en algunos de los trabajos dan al libro —así lo creemos— una unidad que es ajena al uniformismo. También se dedican algunas páginas a la evocación personal. Hemos añadido una selección bibliográfica que, sin pretender ser exhaustiva, quiere ser adecuada y útil.

Vaya nuestro agradecimiento, en primer lugar, a todos los escritores que tan desinteresadamente se han avenido a concedernos su colaboración. Gracias también a Mrs. Dolly Phillips, en sus funciones de Secretaria, y a Mrs. Marcie Tanner, por su impecable versión mecanografiada del original. A la *Division of Basic Research* del *College of Arts and Sciences* de la Universidad de Wyoming, que procuró parte de los fondos necesarios para financiar la edición, nuestro más sincero reconocimiento.

Los Editores

IGNACIO ALDECOA:
A COLLECTION
OF CRITICAL ESSAYS

ALDECOA Y LA NOVELA ESPAÑOLA DE POSTGUERRA

Por
Miguel Delibes
De la Real Academia Española

La muerte del gran escritor Ignacio Aldecoa, a los cuarenta y cuatro años de edad, nos invita a valorar su obra dentro de la novela española de postguerra, supuesto que el novelista prematuramente fallecido desempeñó un papel decisivo en este despertar. Fue Aldecoa hombre de buen corazón —quizá por eso le falló prematuramente— y buenas letras que, entre otras cosas, aunó en su persona algo que no es frecuente en este país: el genio literario y el rigor intelectual, de ahí que su influencia en la novela española ofrezca una doble vertiente, la crítica y la específicamente creadora.

La promoción a la que pertenecía Aldecoa y cuya cabeza ostentaba con Sánchez Ferlosio y Fernández Santos (Ana María Matute y Juan Goytisolo, por su edad, podrían englobarse en ella, siquiera su concepción de la novela se aparte en lo fundamental de la de aquéllos), se da a conocer en los años cincuenta y sirve de puente entre la promoción intuitiva y anárquica de la inmediata postguerra y el grupo social-realista que se manifestará unos años más tarde.

¿Qué es lo que esta promoción de Aldecoa aporta a la novela española? Yo diría que su modernización, esto es, la decantación de un viejo realismo y su conexión con las corrientes narrativas europeas y americanas, entonces en boga.

Apegada al realismo tradicional, carente de información a causa del cierre hermético de las fronteras y de la intransigencia de la censura, la novela española va a ser formalmente renovada con la irrupción de Ignacio Aldecoa y su grupo. Estos escritores, muy jóvenes entonces, proceden de la Universidad y, merced a la gradual apertura para la importación de ideas que se va operando en el país, tratan de incorporar a la novela los vientos renovadores que impulsan casi en su totalidad la "generación perdida" norteamericana, Sartre, Camus, Graham Greene, Kafka y los novelistas italianos, en especial Pavese. Pretendo decir que la promoción de Aldecoa accede a la narrativa con una sólida preparación muy alejada del autodidactismo forzoso que hasta ese momento había prevalecido en España. Este rigor intelectual (del que deriva su conciencia crítica), confiere a este grupo una fría actitud analítica ante la novela, que les empuja antes que a la creación propiamente dicha, a la resolución previa de los problemas que la novela plantea y a la busca de nuevas soluciones. El resultado inmediato es su preocupación por la forma novelesca, el apremio por poner al día las viejas fórmulas nacionales, objetivo que ellos concretan en varios puntos, de los cuales tres son para mí fundamentales: la objetividad, el protagonista colectivo y la preocupación estética.

Mediante la más rigurosa objetividad, Aldecoa desmantela las viejas técnicas marginando la persona del narrador. El novelista no transcribe sino lo que su ojo ve y su oído oye. El novelista deja de ser un faraón —omnipotente y omnipresente— del mundo de ficción de sus novelas, pero, al propio tiempo, la objetividad obliga a una progresiva eliminación de los resortes melodramáticos y de la vida de los sentimientos, decisión arriesgada en un país como el nuestro, que todavía busca en la lectura una complacencia emocional.

De otra parte, Ignacio Aldecoa, y todo su grupo, conscientes de las exigencias de la época, sustituyen al absorbente protagonista clásico por un protagonista colectivo. El eje de la novela no lo constituirá en lo sucesivo un hombre, sino una situación. Esto implica una socialización del arte de narrar, socialización manifiesta no sólo en los problemas que plantean, sino en la distribución equitativa de las palabras que caben en una novela entre los personajes que la pueblan. La inquietud social de Aldecoa y los objetivistas revela un inconformismo que no pasa de ser un elemento más, ennoblecido estéticamente, equilibrado en el conjunto del relato. (Esta inquietud adquirirá en el grupo social-realista, que cronológicamente sigue a aquél, caracteres de franca rebeldía.)

Y resta, por último, la preocupación por el estilo que se traduce en Aldecoa, como en otros compañeros de promoción, en una sabia mezcla del lenguaje popular —¡esos sabrosísimos diálogos!— con el lenguaje culto, de una tersura sobria y matizada, de una rotundidad plástica admirable (por encima de los personajes permanece dentro de mí aquel patio de cuartel, rechinante de sol, de "El fulgor y la sangre"). Hay en el quehacer de este grupo como una incorporación a la literatura de los elementos técnicos de la época: el magnetófono para los diálogos; el ojo-cámara cinematográfico para las descripciones. La combinación, inteligentemente dispuesta, resulta de una bellísima eficacia.

Tal es, a muy grandes rasgos, la aportación de Ignacio Aldecoa —cuya muerte lloramos—, a la novela española de postguerra, aportación de por sí tan decisiva, que asegura a su autor y a la promoción a que perteneció, un lugar de privilegio en la literatura española contemporánea.

Miguel Delibes
P. Zorrilla, 5
Valladolid, España

16

SOBRE EL ARTE DESCRIPTIVO DE IGNACIO ALDECOA: *CON EL VIENTO SOLANO*

Por
Gonzalo Sobejano

La primera novela de Ignacio Aldecoa, *El fulgor y la sangre*, distribuía su contenido —la espera— en una sucesión de horas desde el mediodía al crepúsculo. La segunda, *Con el viento solano*, reparte el suyo —la huida— en una sucesión de días: "Lunes, Santa María Magdalena," "Martes, San Apolinar," "Miércoles, Santa Cristina," "Jueves, Santiago Apóstol," "Viernes, Santa Ana" y "Sábado..." Se ha observado que las advocaciones de algunos días armonizan con lo relatado: María Magdalena es símbolo de la pecadora y el lunes el día en que "tiene lugar el crimen, y Sebastián comienza su calvario" (podría añadirse que el gitano desoye el consejo de Lupe, una mujer pública, y que ese primer día comienza en el burdel); Santa Ana es símbolo de la madre y en esa fecha, viernes, el gitano "logra ver a su madre y vive unas horas al calor del hogar."[1] No se ha observado, en cambio, que dentro de la semana en cuestión caen la fecha de nacimiento del autor (24 de julio) y la celebración del patrón de España, indicios de un interés personal y de un significado nacional respectivamente. Ni se ha observado que un personaje de la novela, Roque el faquir, confiesa a Sebastián, mostrándole un manoseado libro que saca de su maleta: "Esto lo leo yo todos los días. Son vidas de santos. No hay nada tan bonito ni distraído como las vidas de los santos." Sólo pretendo con estas indicaciones resaltar el complejo de alusiones encerrado en el hecho de que las seis jornadas ostenten en sus títulos el santoral. Así como el título de la novela nombra el viento con que Dios hirió y abrasó las obras de los hombres sin que éstos se volviesen hacia Dios, sus unidades componentes mencionan a esos santos cuyas vidas lee a diario el desvalido Roque y de las que nada sabe su accidental compañero de camino, Sebastián Vázquez.

El valor existencial, o existencialista, del proceso narrado en esta novela, y el valor social, no socialista, del mundo al que pertenece o con el que entra en contacto el sujeto de aquel proceso, han sido comentados suficientemente.[2] No así otro valor de la misma novela: su lenguaje narrativo, sobre el cual recae a menudo la nota de artificioso o amanerado.[3]

Convendría aquí distinguir entre el lenguaje que describe el pensamiento de los personajes, o el mundo contemplado desde la conciencia de éstos, y el lenguaje que describe procesos y circunstancias desde la conciencia del narrador. Distinción necesaria en una novela escrita en tercera persona, como lo es ésta y lo son *La colmena, Los bravos, El Jarama* o *Las afueras,* todas publicadas en un tiempo en que predominaba lo que, entrecomillado para señalar su acepción especial, suele llamarse ''neorrealismo.''

Parece haber cierta justificación en deplorar el desacuerdo entre el lenguaje del narrador y el del personaje cuando aquél se expresa como si fuera éste sin guardarle el decoro, es decir, sin ajustarse a las premisas de la semblanza que de él va trazando en la novela. Pero el reproche sólo será legítimo si el autor se propuso escribir con voluntad de absoluto objetivismo. A propósito de Aldecoa (y a Jesús Fernández Santos ha podido hacérsele parecido reproche) algunos críticos han mostrado insatisfacción o extrañeza; entre ellos, por ejemplo, Ana María Navales: ''el autor, que ha escrito un principio de novela dominando magistralmente la parla de los gitanos, el caló, le hace pensar [a Sebastián], en varios fragmentos, demasiado profundamente y en culto, como no creemos que corresponda a un personaje de psicología y costumbres tan rudimentarias,'' y el ejemplo que aduce es éste: ''La idea de que el olivar era el refugio le sostenía. Sólo importaba llegar hasta el olivar. Ya en él, la inteligencia se libraría del aplastante y confuso peso de los sucesos, el cuerpo podría descansar en un desmadejamiento total. No movería ningún músculo, no pediría urgentemente a ningún miembro que le sirviese. Estaba seguro de que se desintegraría el cuerpo por un lado, y la inteligencia por otro. El cuerpo roto y feliz sobre el suelo, mientras la inteligencia buscaba la solución.''[4]

Hallar inadecuado este modo de expresión es olvidar la índole del estilo indirecto libre, que consiste precisamente en una aproximación a la vida interior del personaje, no en una directa y fluyente manifestación de la misma. El narrador no dirige del todo al personaje, como lo hace cuando usa el estilo indirecto, pero tampoco lo deja expresarse por sí, como en el estilo directo; relata su interno decir, a medias identificado con el personaje, a medias observándole a distancia. Y es en este margen de distancia donde cabe la corrección expresiva, el ''arreglo'' literario de lo que, si se pusiera en boca del personaje, brotaría informe o a un nivel idiomático inferior.

Ante el aludido tipo de objeciones convendría preguntarse hasta qué punto deforman nuestro juicio los hábitos de verosimilitud del realismo decimonónico (verosimilitud bastante problemática, por otra parte) y las expectativas creadas por algunos narradores y críticos defensores de un objetivismo extremoso durante los años 50. De semejante extremosidad no participaron nunca Aldecoa o Fernández Santos, ni en teoría ni prácticamente. En su caso, pues, parece poco pertinente esperar completa renuncia al sondeo psicológico o sentirse defraudados porque

Aldecoa, por ejemplo, acerque al lector a la conciencia de Sebastián formulando sus imaginaciones en lenguaje impropio de un gitano. Antes que nada, hay que comprobar si el autor quiso adherirse al sacrificio de toda psicología como a un principio compositivo y no supo hacerlo, o si no quiso, y entonces cualquier reproche de inadecuación está de más. Aldecoa, según es obvio, no hace nunca hablar a sus personajes como él escribe (lo hace más tarde Juan Benet, uniformemente); pero, que yo sepa, nunca Ignacio Aldecoa se prohibió a sí mismo traducir los estados de ánimo de sus personajes por medio de expresiones que él mismo pudiera escribir y dar por bien escritas. El objetivismo de Aldecoa, como el del primer Fernández Santos, es moderado o parcial: concierne al diálogo, no al lenguaje narrativo en el que pueda participar, indirectamente, la conciencia de sus personajes.

Ni menos aún, claro es, al lenguaje del narrador como narrador. Éste, al tomar por vehículo la tercera persona objetiva, como ocurre en *Con el viento solano,* descarta toda intromisión de autor, sea opinión personal, sea enunciado de pensamiento en forma sentenciosa o digresión ensayística; pero la visión objetiva que persigue no tiene por qué venir expresada en un lenguaje neutro (suponiendo que existiese tal lenguaje indiferenciado): en no denotando directamente la presencia individuada del autor, ese lenguaje llevará de todos modos, necesariamente, los rasgos peculiares del estilo del autor, y dentro de esta necesaria revelación podrá, eso desde luego, atraer la atención sobre sí mismo más o menos intensamente, de donde un grado mayor o menor de expresividad poética o de irrevocabilidad "literal."

Si el escritor utiliza con insistencia algunos recursos y olvida otros, podrá ocurrir que transmita a los lectores la impresión de amaneramiento.[5] En Fernández Santos, como antes en Baroja, el grado de voluntad estilística es tenue. En Ignacio Aldecoa, como antes en Miró, Valle-Inclán y Cela, resulta muy marcado. Y desearía únicamente ilustrar con algunos ejemplos la eficacia del lenguaje descriptivo de Aldecoa en *Con el viento solano*: eficacia en el sentido de potenciación simbólica del tema y del ritmo de la novela. Me limito al lenguaje descriptivo "sensu stricto," o sea, a las representaciones de espacios y movimientos físicos, para homogeneizar la base del comentario y porque es en esos "cuadros" donde creo que Aldecoa llevó a más alta tensión su verbo.[6]

He comenzado señalando el rico valor alusivo del santoral, pero todo lector atento de la novela recordará cómo en la penúltima jornada ("Viernes, Santa Ana") se recapitula el proceso en términos más diáfanos: "Todo había pasado velozmente y estaba cercano, pero parecían haber transcurrido años. Tenía que contar los días: lunes de muerte, martes de temor, miércoles de serenidad, jueves de tristeza, viernes de la sangre. ¿Cuántos días podría contar todavía?" (258).[7] La jornada siguiente (añadirá sin dificultad el lector) es el sábado de la entrega.

Lunes de muerte. Ebrio de alcohol y de miedo, Sebastián ha disparado contra el guardia que le perseguía después de su altercado en la feria de Talavera; y su huida a campo traviesa le tiene consumidas las fuerzas, aunque no la memoria. Descendía el sol de la ardorosa tarde, y el fugitivo tenía que alcanzar la carretera antes de oscurecer. El solano traía un dulce y pegajoso olor de tormenta. El solano aumenta el celo en las vacas toriondas. El solano quema la mies en los mediados de junio. El solano llega hasta las tormenteras de la sierra y allí anida haciendo nubes que luego ruedan hacia el llano, en contratormenta, con los vientres hinchados de granizo. El solano hace que peleen los machos cabríos y desgracia el ganado por las barrancadas. El solano, a los enfermos de pecho les quita el apetito y les acaricia el sexo, los acerca a la muerte. El solano corta la leche de los ordeños, pudre los frutos, infecta las heridas, da tristura al pastor, malos pensamientos al cura. El solano es como huelgo de diablo fino. El solano traía el dulce, pegajoso e inquietante olor de la tormenta. (58).

Como el descender del sol y la urgencia de ganar la carretera antes de que oscurezca, la primera y la última frase del párrafo se enuncian en el imperfecto de la narración, formando ambas el encuadre de las otras siete, encabezadas por idéntico sujeto (el solano) pero con el verbo en presente. De la frase inicial, indeterminada y sin otros efectos que los sensibles al olfato y al tacto, se desemboca en la terminal, que precisa olor y tormenta y añade a aquellos efectos elementales otro menos físico que moral: "inquietante." La clarificación y la agravación llegan tras ese cúmulo de frases anafóricas en que la voz narrativa, distanciándose del protagonista, enumera los resultados habituales extraídos de una experiencia no subjetiva pero tampoco generalizadora, sino concreta, variada, espigada de la observación y de la tradición: ganadería, agricultura, meteorología, medicina, psicología, moral. Y es la imagen moral del solano ("huelgo de diablo fino") la que prepara la última precisión: "inquietante." El mal, en forma de viento, llega encelando, quemando, empreñando, suscitando peleas y desgracias, acercando a la muerte, entristeciendo, pervirtiendo..., y pasa. Así vino también el crimen al gitano: como arrebato irresistible que le empujó a la violencia.

El estilo del párrafo podría considerarse manerista por la reducción a la fórmula anafórica y por la vuelta final a la frase del principio, enmarque que recuerda en poesía al "rondel." Corroboraría tal manerismo el uso no infrecuente en la novela de esa combinación de "círculo" y anáfora.[8] La repetición del sujeto, en el presente caso, apoya la sensación de una fuerza obstinada, insaciable en sus estragos, y el narrador, al iniciar así las frases que especifican los estragos, variando éstos pero no el agente, consigue, por la insistencia, un efecto de fatídica crueldad. Estructuradas según ese molde uniforme, las frases clarifican y fortifican la imagen del solano, revistiéndolo de una suerte de omnipotencia maléfica. Términos que podrían parecer a primera vista literarios, como "toriondas," "los mediados de junio," "tristura" y "huelgo," son en realidad vocablos precisos, de sabor campesino y arcaico, vividos más que leídos. La cuarta frase promueve sonoridades miméticas: "tormenteras," "sierra," "ruedan," "contratormenta," "vientres," "granizo." La gradación de la séptima ("corta," "pudre," "infecta," "da tristura," "malos pensamientos") hace patente el progresivo mal, la condición diabólica de ese viento que adquiere relieve de personaje mítico. Se expresa en todo el párrafo, dentro de las frases inicial y final que lo realzan al enmarcarlo, el hostigo latentemente desencadenador del crimen que signa la jornada.

Martes de temor. Ha llegado Sebastián a un pueblo y ha podido, furtivo y preocupado, tomar el tren que le lleve a la ciudad, donde piensa será menos difícil escapar a la persecución. El tren arranca.

El humo blanco de la máquina se pegaba a las tierras de la siniestra, bajo la sierra. Y la sierra berrenda, cimarrona, encabritada, era jineteada por el sol. A la diestra corría rápida la potrada pía de los desmontes. Pasaba pausado el bayo de las rastrojeras, pegado a la cansada tierra torda del barbecho. Y en los lejos de levante, iluminado el lomo alazano, se perdía el camino, mientras que al poniente el roano del cielo huía a contramarcha del tren, tornándose fatigoso azul.

Sebastián cerró los ojos para no ver la libertad. (76).

Si en el pasaje anterior transfigurábase el viento en una emanación diabólica, en esta descripción, breve y precisa como una acotación escénica que cobrase autonomía, se dan a sentir las formas y colores de la naturaleza a través de imágenes equinas. El humo del tren se pega a la tierra como el fugitivo había hecho la víspera en su extenuante huida; pero ahí, a la izquierda, aparece la sierra berrenda (manchada de dos colores) y cimarrona (huidiza, montaraz, indomeñable) que el sol violento de la mañana de julio parece oprimir con freno de castigo; y a la derecha, también vibrante de erres ("corría rápida") la deshilada de los desmontes, vistos como potros de pelambre clara salpicada de manchas. Tras estas figuraciones dinámicas, queda la estela de los colores equinos ("bayo," blanco amarillento; "torda," mezclada de negro y blanco), pero retornan —atemperando la visión del campo segado a la postración del sujeto que se supone contempla este paisaje— los significantes de la fatiga: efectos fónicos ("pasaba pausado," "pegado a la cansada tierra torda") y semánticos ("pausado," "rastrojeras," "pegado," "cansada," "barbecho"). Los denominadores cromáticos siguen siendo los de las caballerías en la frase inmediata: lomo "alazano" del camino (canela), "roano" del cielo (blanco gris y blanco amarillento). El libre alejarse del camino en la luz aparece reforzado por la convergencia de líquidas ("en los lejos de levante, iluminado el lomo alazano") y por el orden sintáctico: se nombra primero la distancia, después en metáfora animal lo que aparece, y sólo al final el sujeto (ese camino que se pierde a lo lejos). La fantasmagoría de los galopes (roano del cielo a contramarcha del tren) deja paso otra vez a la realidad del cansancio: "fatigoso azul." Y el viajero, en su día de temor, cierra los ojos para no ver la libertad. No es el miedo a la muerte lo que le lleva a ese gesto, sino el miedo a la vida; porque, como dirá el narrador en otro punto, tal era siempre el sentimiento del gitano Sebastián: "Miedo a la vida cuando era libre, miedo a la muerte ahora que la sentía acercarse, lentamente, desde la lejanía'' (221). Los términos ''berrendo,'' ''pío,'' ''bayo,'' etc., exigirán el diccionario a lectores de gabinete. Aldecoa seguramente no los extrajo de ningún diccionario. Como en *Gran Sol* utilizaría una terminología marina muy especializada pero aprendida al vivo en sus frecuentes viajes en barco, aquí bien pudo usar estos nombres del color de las caballerías conociendo su exacto significado a través del trato con gitanos, toreros y hombres del campo, pues bien sabida es su afición a vivir en el camino y recorrer España andando y viendo. No alarde léxico: lo que hay en este texto es un empeño en conexionar simbólicamente el temor del gitano en libertad y ante la libertad con ese paisaje de pétrea España interior aprehendido a través de movimientos, colores y formas que evocan una fuga de caballos.

Miércoles de serenidad. Ya en Madrid, Sebastián ha pasado la mañana con el magnánimo Cabeda, escarmentado filósofo del arroyo que se gana el escueto sustento recortando papeles de colores. La voz del viejo le ha tranquilizado: ''era el rumor de la vida sosegada, de la vida en calma'' (130). Cabeda le ha referido brevemente su pasado de prisionero, le ha comunicado confianza y le ha regalado sus ahorros. Acaban de despedirse estos momentáneos compañeros de camino, y Sebastián se dirige solo hacia el centro de la ciudad. Riegos de agua, mirones, niños que juegan, el pálido Palacio Real, los reyes de los jardines, ancianos dejando pasar el tiempo.

Sebastián zanquea hacia la Plaza de España. Las sombras están a media asta. Son las dos y media. Las dos y media, y sereno el cielo. Las dos y media, y un tranvía moroso, con un repique de monaguillo, apagándose en la fronda de la arboleda. Las dos y media, y los cimientos del rascacielos que sostienen un cielo de siesta. Las dos y media, y el abrecoches con la digestión a medio hacer—el fresco tomate, la sardina embalsamada, el vino con limón y el pan añorando la chicha —bailando en el estómago. Son las dos y media en todos los relojes de Madrid. Son las dos y media, y Madrid es un pantano en luz solar. (151).

Como en otros muchos comienzos, el presente de indicativo, o la pura frase nominal, sin verbo, establece un estilo elíptico de acotación dramática, que a menudo, en esta novela, trae el recuerdo de *El ruedo ibérico* y de *La colmena*. La instantánea urbana, colectiva y miserable, recuerda en este caso más a Cela que a Valle-Inclán. Pero hay, tras el eco de esas prosas, una necesidad intrínseca que dicta la forma. Es la necesidad de describir el éstasis de la jornada, el parón del centro diurno, la cerrazón meridiana. Los pocos verbos principales de las frases iniciales preludian esa tesitura estacionaria: Sebastián ''zanquea,'' es decir, arrastra desganadamente los pasos; las sombras ''están a media asta,'' yacen bajadas, como banderas que cuelgan lacias; ''son'' las dos y media, y esta simple comprobación horaria, cuyo recuerdo sobre la esfera del reloj sugiere verticalidad cayente, da paso a una serie anafórica de cuatro frases sin verbo principal. Se detiene, pues, la acción predicativa, reemplazada por verbos que se adjuntan como pendiendo tenuemente de la hora: "Las dos y media, y sereno el cielo...y un tranvía moroso, con un repique...apagándose...y los cimientos...que sostienen...y el abrecoches con la digestión...bailando..." Y, aun dentro de la cuarta frase, esa otra parentética que mantiene la ausencia del verbo principal, como expresando en su sucesión de elementos sueltos la floja danza del hambre. Al cabo de lo cual, la frase penúltima vuelve, en nuevo ejemplo de círculo o rondel, a la forma de la tercera frase del párrafo ("Son las dos y media"), pero agregando la nota de unanimidad, que subraya lo inmóvil: "Son las dos y media en todos los relojes de Madrid." Y el encalmamiento llega a su ápice, a manera de epifonema descriptivo, en la frase final, donde el mero y desnudo verbo copulativo realiza la definición de la quietud: "*Son* las dos y media, y Madrid *es* un pantano en luz solar." El avance de las frases anafóricas es más aparente que real: las varias impresiones de escasos movimientos que se extinguen, más que multiplicar efectos, sólo dilatan, en anticipaciones desgranadas a modo de ejemplos, el resultado: la metáfora del pantano rebrillando al sol.

Jueves de tristeza. Tristeza del hombre acosado, más transparente al contrastar con la oficial alegría de la ciudad en fiesta: feria de Alcalá. Despertó Sebastián en la posada y fueron pasando a su lado (o él buscó su presencia) la criada, el botijero, la señora de los reptiles, el faquir, el primo Gabriel, el bobo Casimiro, el áspero tío Manuel. Sebastián "buscaba la cara conocida, la voz amiga, la mirada comprensiva" y en esta ansiedad volvía a nacerle "la angustia" (189); estaba solo y "se buscaba con afán," sintiéndose "invadido de muerte...entre la vida" (190). Después de concertar su viaje a Cogolludo, para ver a su madre en aquella agonía, y después de sufrir el rechazo del tío Manuel, Sebastián dialoga con el piadoso y sensitivo Roque, y ambos se dirigen adonde espera el camionero.

El sol se ocultaba entre nubes blancas, avanzadilla de la tormenta. Pasaron por las calles de casas de una sola planta. Las nubes eran como una esponja que, apretada, dejase escapar vapor. Las moscas se levantaban del suelo, revolando al paso de los transeúntes. Las moscas tenían una pesadez mineral. Los excitados nervios de los pródromos de la tormenta se hacían sentir en las discusiones apagadas de las casas. Cuando lloviera, la araña correría la pared, la risa el labio. Cuando lloviera las miradas se lavarían de ira, las palabras de la acritud del tiempo. (223).

En esta descripción, acompasada al tiempo verbal de la narración y, por tanto, una minúscula "description en mouvement," aunque no enfocada desde la perspectiva de los caminantes, sino desde esa instancia invisible que estructura breves cuadros por agregación de detalles, el inicial hostigo del solano (no olvidado en las páginas intermedias) parece aglomerar su amenaza con los presagios de esa tormenta que estallará más tarde, cuando el camión deje primero a Roque y luego a Sebastián en las cercanías de sus respectivos destinos: nubes esponjosas, moscas revolantes y pesadas, nervios crispados, apagadas discusiones en el interior. A esta concisa estampa de desazón oprimente, en modo indicativo, yuxtapone el narrador, en modo potencial, la esperanza del apaciguamiento: "Cuando lloviera, la araña correría la pared, la risa el labio" (páginas antes se leía: "Donde la mosca zumba, está atenta la araña," 212); y, en movimiento paralelo a esa frase, con igual ritmo de laxitud purificadora: "Cuando lloviera las miradas se lavarían de ira, las palabras de la acritud del tiempo." Inmovilidad y rictus, ira y acritud desaparecerían de la tierra abrasada, de las casas pegadas a la tierra y del ánimo sobrecogido del fugitivo, si la tormenta desatase al fin esas nubes apretadas que vinieron, como el crimen, "con el viento solano."

Viernes de la sangre. La mañana en Cogolludo, al día siguiente de la tormenta. El sol dorando las ruinas del castillo, reflejos de agua en la palangana y en el abrevadero. Los huecos de la fachada que limita el patio familiar aproximan el cielo; las grandes ventanas de la fachada del palacio que limita la plaza del pueblo, lo alejan.

Fachadas de casas en ruinas. Fachadas solas, teatrales. Orografía de ruinas. Gritos de la miseria. Y el espectro de la grandeza, el palacio, únicamente fachada y unos cobijos, para carros y bestias, parásitos de la piedra noble. Recuerdo, muro de recuerdo del hogaño triunfal. (237).

Otra vez un desgranarse de frases nominales, sin marca de tiempo ni acción, erigiendo ahora superficies sin fondo o decoraciones del vacío, a tono con el desvalimiento que el perseguido va a encontrar en su última etapa, al buscar refugio entre los de su sangre. Sebastián mira hacia la plaza del pueblo, "donde la tierra estaba cercada del dolor de las ruinas" (246). La madre le suplicará que se marche: "Los amigos, la familia, la madre habían sido tachados por el miedo" (253). Puesto otra vez sobre el camino de la huida, Sebastián pasará la noche en un molino, también ruinoso como el palacio de la historia y las casas de los pobres: un molino en el que "por las tablas del techo se veía una sola estrella" (261). Con el preludio de las fachadas sin fondo y con estos esparcidos toques descriptivos, el narrador ha sugerido, con la eficaz latencia de la alusión, el total desamparo del hombre a quien le falla el último albergue.

Sábado...(de la entrega). Perdido el último asilo, cumplida la semana de pasión, a Sebastián sólo le queda entregarse a la muerte, y lo hace envolviéndose en el mismo delirio alcohólico que lo condujo al crimen. Es lo que anuncia la descripción que da principio a la última jornada.

...El guarín toma la teta de la marrana tendida, como muerta, en el claro de la trasera de la casa. Bajo el sombrajo, estruja la ropa, frota la ropa en la taja una mujer, balanceante el seno, temblorosas las nalgas. Sestea el viejo en el poyo, la gorra sobre los ojos, la cachava entre las piernas, las manos tiritando los años sobre las rodillas. La vecina que lleva y que dice y que trae, la gallina clueca, cruzan la carretera.

La carretera penetra recta en el pueblo, llega a la plaza, parte hacia los campos. La plaza está adornada para el baile de la noche. Hay un

tablado para los músicos de la fiesta. De los tres bares de la plaza, sólo uno
no tiene mesas de terraza. Es el bar de los mozos, donde se grita y se bebe
mucho. El dueño desafía a los de los otros bares a vender más. Da el mejor
vino; aguanta al ebrio; anima al que canta; olvida a los guardias cuando
hay bronca; permite el juego fuerte por los fondos del bar; calla ante el
blasfemo; no goza buena fama entre la gente decente y el cura y las
mozas casaderas saben que es cónsul del diablo, punto maldito, llaga
de mal curar.
El pueblo se abre al llano, se cubre estribado en los primeros cerros
serranos. El pueblo celebra el sábado labrador de la cosecha recogida.
Conserva fresca la ley del buen año: Tras Santiago, el trago. (256–266).

La vuelta a la movilidad se expresa en un pródigo despliegue de verbos de
acción que en el primer párrafo imponen un ritmo de pujanza incontenible: ''toma la
teta,'' ''estruja'' y ''frota la ropa en la taja,'' vecina ''que lleva y que dice y que
trae,'' no sin el contrapunto de la imagen del viejo que ''sestea'' y cuyas manos, con
transitividad insólita, están ''tiritando los años.'' Ritmo de pujanza que en el párrafo
segundo se hace de desbordamiento por la estrecha proximidad de las formas verbales: ''penetra recta,'' ''llega,'' ''parte''; ''se grita y se bebe''; el dueño del bar
de los mozos ''desafía,'' ''da,'' ''aguanta,'' ''anima,'' ''olvida,'' ''permite,''
''calla.'' Y no goza de buena fama, y por esta su libertad le tienen por diabólico y
maldito. El tercer párrafo acentúa la impresión de actividad festiva con la
paronomasia del ''se abre,'' ''se cubre,'' ''celebra'' y el remate popular del refrán.
Ahora Sebastián, bebiendo y bebiendo en el bar de los mozos, mientras en la plaza
se oyen triviales conversaciones entre señoritos veraneantes y entre aburguesados
vecinos de la localidad, que contrastan muy socialmente con las palabras de los
humildes escuchadas a lo largo del itinerario, volverá a las provocativas maneras del
comienzo de la novela, embriagándose hasta el vómito y entregándose finalmente a
los guardias.
La visión es menos fragmentada en *Con el viento solano* que en *El fulgor y la
sangre,* pues en esta novela eran distintos sujetos los que se ensimismaban, y allí es
uno el protagonista de la culpa, del miedo y de la huida en soledad. Pero Aldecoa,
siguiendo procedimiento habitual desde *La colmena,* aligera o elimina las tran-
siciones, dejando que emerjan sueltos los momentos principales de la historia,
separados por simples asteriscos. El primer día tiene nueve momentos, con la
particularidad de que el cuarto en orden temporal interno aparece en primer lugar:
Sebastián y otros amigos y mujeres están en el burdel de la Carola entregados al vino
y al cante, y aunque ya pasó la medianoche, un reloj parado marca las seis: es como
el oscuro nudo de la inercia en que el sujeto se ha ido dejando vivir; y ese día
terminará, consumados el crimen y la primera escapada, cuando Sebastián exhausto
se duerma bajo una encina. Las jornadas siguientes se distribuyen: martes y miércoles en cuatro momentos cada uno, en seis el jueves, el viernes en tres, y el sábado
en seis. Excepto la última jornada, que empieza por la tarde, y la primera, que se

iniciaba en la noche, las otras cuatro comienzan con un despertar; en el campo, en la posada de la Cava Baja, en la posada de Alcalá, en el pueblo de la familia; y concluyen oscurecido. Un abrirse al esfuerzo y un contraerse a la desesperanza. Las elipsis resaltan los cambios de lugar, de hora y de personajes, imprimiendo a la presentación escénica (el "neorrealismo" compone por escenas, mostrando, no contando, y de ahí el carácter de acotación de las concisas descripciones) una soltura que subraya los pasos de la evasiva. Acelerado y jadeante el ritmo de la novela en la jornada primera y en la última, de acuerdo con el ascenso de la fiebre que impele a Sebastián a matar y a entregarse, se hace menos veloz, e incluso sosegado —a tono con la busca de distensión que el roce con los otros le inspira— en los días intermedios, quedando así aquellas jornadas vertiginosas como el encuadre de desazón que encierra estos días de buscado encalmamiento.

Pero la busca de la calma no es calma, y esta tensión entre el deseo y su objeto inalcanzado vibra en los comentados pasajes descriptivos. Cuadros en que, con ejemplar densidad, esa tensión se representa y materializa en palabras. No importa tanto, en ellos, la geografía ni el emplazamiento social, cuanto la atmósfera que atempera estados de ánimo y complejos de situaciones, y, sobre todo, la coincidencia de lo externo y lo íntimo que da por resultado un valor simbólico.[9] Entre la descripción del diabólico solano (lunes de muerte) y la del pueblo último con su oscuro bar regentado por un "cónsul del diablo" (sábado de la rendición), se van sucediendo esas otras en que lo descrito sitúa y simboliza con apretada concordancia el sentido de cada jornada: los caballos de la fuga (martes de temor), el pantano de la ciudad a mediodía (miércoles de serenidad), la inminente tormenta y su soñada descarga purificadora (jueves de tristeza), y las vanas fachadas sin fondo que cobije al solitario (viernes de la sangre).

En esos cuadros logra Ignacio Aldecoa, creo yo, la intersección de descripción y metáfora preconizada por Jean Ricardou: "La description mesure les différences, établit des distances; elle *constitue une scène*. La métaphore, en revanche, joue sur des similitudes, assure des liaisons; elle *accomplit des rapprochements*." Y, frente al paralelismo o pura ausencia de relación entre una y otra, y frente a la imbricación que caracteriza su mezcla inconsecuente, la intersección implica recíprocamente la descripción y la metáfora.[10]

Así sabía construir sus novelas y relatos Ignacio Aldecoa: desde un objetivismo que no renuncia a la empatía; sobre unas experiencias humanas importantes a cualquier hombre y atestiguadas por la propia atención del escritor, siempre vertida hacia el mundo de los olvidados; en estructuras y ritmos esmeradamente sentidos y recapacitados, y a través de un lenguaje que, verista en los diálogos y moderadamente intervertor en la expresión indirecta de las almas, adquiere en los instantes descriptivos la intachable concentración del poema.

Gonzalo Sobejano
University of Pennsylvania
Philadelphia, Pennsylvania

NOTAS

1. Pablo Borau, *El existencialismo en la novela de Ignacio Aldecoa*, Zaragoza, 1974, pp. 27 y 28. Esta meritoria tesis de licenciatura, escrita entre 1969 y 1970, tiene el defecto de no haber sido "puesta al corriente" antes de su publicación.

2. El valor existencial, en la citada tesis de Borau y en el excelente libro de Gemma Roberts, *Temas existenciales en la novela española de postguerra*, Madrid, Gredos, 1973, capítulo III, enteramente dedicado a *Con el viento solano*. El valor social, en el libro de Gaspar Gómez de la Serna, *Ensayos sobre literatura social*, Madrid, Guadarrama, 1971, cuya segunda parte, la más extensa, se ocupa de la obra y personalidad de Aldecoa.

3. Gómez de la Serna, en el estudio citado en la nota anterior, consagró al lenguaje de Aldecoa todo un largo capítulo. "Hace Aldecoa que las cosas se hagan visibles a los ojos del alma." "Colma así a las cosas aparentemente inocuas, al paisaje mudo, al objeto insignificante de un significado sustancial para el relato, y consecuentemente de un valor que trasciende al espíritu del lector" (p. 187). A pesar de este y otros elogios, reconoce Gómez de la Serna que a cualquier escritor puede dominarle el ejercicio del lenguaje "perdiéndole en los juegos semánticos del idioma, en los gozosos laberintos de la metáfora, en los brillantes espejismos de la imagen, en los cautivadores movimientos del ritmo, del sonido de la cadencia de la frase o la estructura del párrafo" (189) y reconoce que a Aldecoa "el riesgo del barroquismo de la prosa ornamental (...) acaso anduvo rondándole en sus comienzos," aunque pronto supo el escritor adquirir un difícil equilibrio "conjugando el hilo de las necesidades de la narración, la sobriedad, la concisión, la sencilla naturalidad coloquial (...) y la veta lírica que vuelve grávido de belleza literaria el cuerpo de la prosa descriptiva de situaciones o paisajes" (192). Sobre el lenguaje de Aldecoa hace también muy certeras apreciaciones Ricardo Senabre, "La obra narrativa de Ignacio Aldecoa," en *Papeles de Son Armadans*, XV, 1970, vol. LVI, pp. 5–24.

4. Ana María Navales, *Cuatro novelistas españoles: M. Delibes; I. Aldecoa; D. Sueiro; F. Umbral*, Madrid, Fundamentos, 1974, p. 121.

5. "The exploitation of a few technical forms produces *mannerism*, while the use of many produces *style*" (Kenneth Burke, "The Poetic Process," en: Wilbur Scott, ed., *Five Approaches of Literary Criticism*, New York, Collier Books, 1962, p. 81).

6. "Como la escena, también el *cuadro* es una unidad que puede abarcar diversas formas del discurso: es cierto que siempre es preferida la descripción y, muchas veces, ella sola forma un cuadro. Sus características son la unidad de conjunto, la plenitud objetiva, el aislamiento del tiempo o, si se quiere, la estática, y, por último, una riqueza especial de significado. Como en la lírica, el cuadro fácilmente se convierte en símbolo." (Wolfgang Kayser, *Interpretación y análisis de la obra literaria*, 4ª ed., Madrid, Gredos, 1965, p. 241.)

7. Se cita según la tercera edición de *Con el viento solano*, Barcelona, Mayo de 1970, sin más que señalar entre paréntesis el número de la página.

8. Por ejemplo: "No era hora de viento. El solano, a medida que el día iba creciendo...disminuía... Al atardecer crecía de nuevo...(etc.). No era hora de viento" (Lunes, p. 45). "Sobre el encinar...rondó el azor. Se disparaban...Partían...(etc.). Rondó el azor mientras Sebastián dormía" (Martes, 67), aparte numerosos casos de anáforas sin círculo (Jueves, 212, y *passim*) y de una especie de círculo a distancia, remontado sobre varias páginas: "Mala tierra. Mala tierra a las puertas del ganado, en la posada de Marciano Solís" (173), "Mala tierra. Yerba mala y mala tierra a las puertas del ganado, en la posada de Marciano Solís" (177).

9. Véase D. S. Bland, "Background Description in the Novel" (1961), en: Philip Stevick, ed., *The Theory of the Novel*, New York, The Free Press, 1967, 313–331.

10. Jean Ricardou, *Problèmes du nouveau roman*, Paris, Seuil, 1967, pp. 154–155.

EL PAPEL DEL MAR EN *GRAN SOL*: REALIDAD Y SIMBOLO

Por

Fernando Arrojo

Gran Sol, primera novela de la trilogía marinera anunciada por Aldecoa, publicada en 1957, marca un hito literario en la obra del escritor alavés, asegurando su consagración técnica y estilística. Como novela del mar se sitúa entre las más importantes de la literatura española que, relativamente, ha producido pocas novelas de este género. *Gran Sol* supone, en efecto, la notable y rara contribución de un escritor español contemporáneo a los grandes libros del mar que se encuentran en la literatura universal.

Lejos de cultivar una literatura errática, Aldecoa manifestó en una ocasión: "Yo escribo de lo que conozco en profundidad, de lo que tengo cerca. Por tanto no barajo y escojo."[1] De aquí que toda su obra trasluzca incuestionable sinceridad y conocimiento de causa. En el verano del 55, antes de escribir *Gran Sol*, se alistó con cartilla de marinero en una pareja pesquera y estuvo un mes en la pesca de la merluza por las costas de Irlanda. El barco salió de Santander con tripulación vasca. Aldecoa vivió la misma vida de los marineros; hizo todo lo que los pescadores de altura llaman una marea. Un año después de su experiencia marítima escribió *Gran Sol*, novela de la pesca de altura. No vivió su novela, sino a sus personajes y sus problemas vitales y laborales. En suma, *vivió el mar*.

El pormenor de las descripciones, el hecho de que Aldecoa mismo hiciera una «marea» de altura para informarse de la vida y la terminología marineras y, en general, la estructura narrativa de *Gran Sol* desorientaron a algunos críticos, haciéndoles pensar que se trataba de un documental.[2] En realidad, es una novela fidedignamente *documentada*, laboral, técnica y lingüísticamente, del quehacer marinero en alta mar.[3] Su pormenorización recuerda, en cierto modo, la novelística decimonónica a partir del naturalismo, pero su modalidad narrativa la encabalga firmemente en técnicas contemporáneas, específicamente el procedimiento de narrar la acción y citar el diálogo o los pensamientos de los personajes al tiempo que éstos los experimentan o los piensan. La novela, a pesar de la desorientación inicial que señalábamos, recibió finalmente el Premio de la Crítica (1957). Algunos críticos que en un principio no reconocieron sus valores literarios, cambiaron de parecer después. García Viñó, por ejemplo, se retracta de una opinión previa: "En algún ensayo precipitado y en alguna conferencia, yo me he expresado respecto a *Gran Sol* como a una novela menos lograda de lo que ahora —después de una nueva lectura— me parece."[4]

Denotativa de las aspiraciones de un auténtico novelista es la siguiente declaración de Aldecoa: "Lo que deseo sobre todo es que quien quiera leer un libro mío, entre en el ámbito del libro; supedito casi todo a eso."[5] En *Gran Sol,* el gran ámbito que aguarda la penetración del lector es el mar. El módulo narrativo de esta novela se caracteriza por una dualidad estructural. *Gran Sol* es a la vez novela abierta y cerrada. Como novela abierta, el viaje es su rasgo primordial: viaje con un itinerario prefijado y un propósito definido, nada placentero; viaje de consecuencias previstas, la pesca en la zona de Gran Sol, y, al mismo tiempo, de consecuencias imprevistas, de las cuales dan fe la dureza y el peligro de las faenas cotidianas y la caprichosa pero inevitable autarquía del mar; viaje de búsqueda, cuya meta es la subsistencia del hombre; viaje que encierra una proposición, la del marinero, y una disposición, la del mar, entablándose entre ellos una lucha constante, *cuerpo a cuerpo,* que cierra la novela.

En su pugna con el marinero, el mar lo envuelve y castiga, pero, noble en su inexorabilidad, anuncia su furia por medio de uno de sus mensajeros, el viento:

> El viento norte amaga. El viento norte avisa. El rumor de las olas es el rumor de las multitudes. El ruido de las olas es el ruido de los cataclismos prehistóricos, del cataclismo bíblico. Las olas hacían ya ruido y el viento norte estaba golpeando.[6]

El aviso y la amenaza alcanzan un sentido auditivo: el viento golpea, pero es el mar el que produce un ruido estremecedor, de dimensiones históricas. Inmediatamente después se describe la complicidad del mar con los elementos; ambos, con ánimos destructivos, aprisionan al hombre y su barco: "Cuando los tripulantes salieron a cubierta la marejada había aumentado, el *Aril* casi trompeaba, el cielo y el mar formaban una axila negra y profunda en cuya concavidad parecía que fueran a ser aplastados los barcos" (101). El emparedamiento del hombre y el barco es expresado con una imagen de gráfica originalidad, "una axila negra y profunda," que evoca el miembro corporal de un gigante. La amenaza auditiva —el ruido del mar— y la amenaza visual —la enorme axila— sugieren una fuerza mitológica que se impone sobre el hombre. Domina la idea del coloso que controla el destino del marinero y su barco, al decirse que el viento que empuja a los veleros es "un mal calculado impulso de gigante" (56). Se corrobora su sentido mitológico al hacerse mención de la "mitología de la fuerza" (56). Y aunque en el caso del *Aril,* barco de motor, el viento no sea esencial a su rumbo, su presencia es un exponente más de la tiranía del mar.

Cuando no han de sufrir la furia de los elementos, el hombre y su barco, en su pequeñez, han de soportar la amenaza constante del cielo —"El *Aril* sostenía con sus palos un cielo grueso, gris" (94)—, llegando a confundirse navío y firmamento en una suerte de absurdo reflejo.

A la imposición física del mar, del cielo y de las fuerzas metereológicas, se suma una opresión interna, de orden psicológico, que surge en el ánimo del marinero y que también se manifiesta en el interior del barco y en los instrumentos de navegación. Una misteriosa providencia parece jugar con ellos:

> En la bitácora habita el duende caprichoso de los rumbos, que no se ajusta más que a la llamada de los polos. Danza, danza y danza más. Nada arriba, nada abajo. Salta como los delfines, vuela como los albatros; duerme con los ojos bien abiertos, vela con los ojos cerrados; se mece emperezado, corta paralelos, brinca meridianos. En el carrusel de la rosa de los vientos, de los rumbos, en la rosa náutica, en la aguja, habita el duende de la inquietud del hombre. El duende que gasta el corazón del marinero en el juego de sus treinta y dos caprichos principales (56).

Además de atender a la jefatura de los polos, el duende de los rumbos habrá de depender necesariamente de la volubilidad de las fuerzas del mar, que juegan a la ruleta de la suerte con el marinero. El lirismo de Aldecoa, al tratar con ideas u objetos, sirve a menudo para aprehender los sentimientos del ser humano. La descripción anterior, por ejemplo, no sólo revela los antojos del Destino de los mares y su presencia en el timón, la brújula, etc., sino que también muestra la fragilidad y la zozobra del marinero ante fuerzas misteriosas que lo manipulan, llegando así el autor, en su fantasía, a una concreción objetiva de la asociación del hombre con su mundo. No es, pues, de extrañar que, al describir la despedida de la marinería del *Aril* de sus familias, Aldecoa no nos hable directamente de su pesadumbre ante la separación, sino del vino que toman, el cual sirve para ocultar sus sentimientos, y al mismo tiempo los revela:

> Los tripulantes se despedían con vino tinto; el vino tinto del adiós, que amarga y seca la boca, que da un poquito de fuerza al corazón, que riega el chiste encubridor de la tristeza, que fija la sonrisa de la marcha y disculpa la acuosidad de la mirada (16–17).

La opresión del mar se manifiesta asimismo en la mentalidad de los marineros, muy escasamente desarrollada. Dedican éstos su existencia al mar, y el mar absorbe su intelecto. Juan Quiroga, marinero del *Aril,* "no tenía la palabra fácil, resumía profundos pensamientos en un solo vocablo," como "majadero" (96). "Venancio Artola era torpe de expresión (19). Macario Martín, aunque de palabra más fácil que los demás, se sirve a menudo de lugares comunes para expresarse. Simón Orozco, el patrón de pesca, superior al resto de la marinería en todos los sentidos, necesita hacer varios borradores para componer una carta, la cual escribe "con una caligrafía de colegial" (52).

En *Gran Sol* no tenemos, por tanto, un diálogo chispeante (Macario Martín es la excepción en este respecto), sino conversaciones henchidas de terminología marinera, descontento, censuras mutuas, insultos y trivial palabrería, ahogándose así la soledad de las horas marinas y, a veces, el temor a las agresiones del mar. A menudo, los marineros emplean la terminología de su oficio para expresar sentimientos u opiniones del orden que sean. La profesionalización del diálogo indica cuán arraigada está en esta gente la condición de marinero, la cual atiende a las siguientes proposiciones: su expresión es su oficio; su oficio es el mar; el mar es su vida. La alusión marítima identifica aquí la procedencia regional, la lengua y, en suma, la patria de cuatro marineros del *Aril:*

"En el rancho de proa, estribor euskaldún, babor galaico. Juan Ugalde y Venancio Artola por los murmullos de su idioma, hablando de mejores fortunas. Juan y Celso Quiroga por las romanceadas suavidades de su lengua, quejándose a mala palabra de la vida del pescador" (45).

Dos vocablos marinos, "estribor" y "babor," aluden a la ubicación geográfica de sus respectivas regiones, usándose un barco, específicamente el rancho de proa, como punto de referencia. Los adjetivos "euskaldún" y "galaico" confirman la ubicación regional al par que indican la lengua que habla cada uno. Si atribuímos al norte de España y al mar Cantábrico las características de la proa de un barco, tendremos a estribor las Provincias Vascongadas y su idioma, el vascuence, y a babor, Galicia y su lengua, el gallego. En la subjetividad del novelista, ambas lenguas son reconocibles: la primera por sus "murmullos," la segunda por sus "romanceadas suavidades." Hasta para revelar la identidad del marinero en tierra se recurre a la imagen marítima, lo que reafirma la ineludible conexión del hombre con el mar, del marinero con el barco.

En contra de lo que pudiera pensarse a juzgar por algunas de las descripciones antecedentes, *Gran Sol* no es novela de fantásticas aventuras marineras en que la grandeza de las descripciones sobrepasa la verosimilitud de los hechos y el transcurso del tiempo. Sin apenas apoyo novelesco, se relatan aventuras en escala menor, de tensión medida por su justo acaecimiento e importancia, por un riguroso avance temporal, por momentos, por días. Lo que narra Aldecoa, en resumidas cuentas, es la aventura existencial de los pescadores de altura en razón de su oficio, el cual es peligroso, movido y monótono a la vez y, apuntando a la injusticia social, de escasa retribución económica. De la interacción del mar, el barco y el hombre surge la gran fuerza unitiva que es el trabajo. El mar de *Gran Sol* es el mar del trabajo, y ni por un momento se nos permite en la novela que lo olvidemos.

Las descripciones laborales de Aldecoa son minuciosas, precisas, técnicas, a veces de descarnada realidad, con frecuencia difíciles de comprender o visualizar para el profano. A la descripción laboral de tipo colectivo se contrapone siempre la individual, de modo que al leer *Gran Sol* se tiene conocimiento de lo que hace, según sea el momento o la ocasión, cada miembro de la tripulación del *Aril* durante la travesía. He aquí algunos ejemplos de tecnicismo e individualidad: "Gato Rojo con la escobilla de afretar la cubierta empujaba desperdicios hasta las puertas del trancanil, empujaba éstas con el pie y dejaba que el agua se los llevase" (164). "Domingo Ventura tascaba boquilla en el espardel" (163). "Venancio Artola y Juan Ugalde desprendían el pescado enmallado y amontonaban el arte sobre la amura de babor" (179). "Macario Martín soltó la estacha. Las puntas de la red, engarfiadas a un cable empoleado en el mastelerillo del estay de golpe, patinaron por la regala hasta el comienzo de la obra muerta. Principiaron a halar la red" (82).[7]

Incluso las descripciones marítimas parecen a veces inspirarse en las diarias ocupaciones marineras. Las expresiones descriptivas del autor, con no poca frecuencia, recuerdan los apuntes en el cuaderno de bitácora. La afinidad entre la anotación marinera, puntual, concisa, de Paulino Castro, patrón de costa del *Aril*, y la también marinera, puntual, concisa, pero con coletilla literaria, de Aldecoa es evidente. Castro anota:

> A las 12 h. con Cabo Torres que hacemos rumbo a las playas del Gran Sol con viento fresquito del N y marejada, cerrado, en lluvias, con chubascos que cada vez son más fuertes (31). (. . .) Lluvias (. . .) cubierto (. . .) despejado (. . .) altocúmulos (. . .) viento fresquito del SW y lluvias (. . .) rola el viento (. . .) rola al N y marejada (61). El viento sigue aumentando. Fuertes lluvias y mucha mar. Damos avante para el E durante una hora (. . .). Hacemos capa. Sin otra novedad, la damos fin (197).

Aldecoa describe:

> Nordeste claro, nordeste quirriquirri. (. . .) En Cabo Mayor la mar blanca, cortada de una franja negra hacia el norte. Por Finisterre sol con barbas, viento con aguas (44). Paralelo 53, longitud oeste: Día y noche. La mar serena; la mar de lo gris a lo negro, del este al oeste. Meridiano 12, latitud norte: Amanecer. La mar serena; la mar de la vigilia al sueño, de las estrellas, del sur a las nieblas del norte (125). Viento fuerte de popa; viento largo del norte (175).

Como estos ejemplos hay muchos más. Se trata, como podemos comprobar, de un auténtico *apunte literario* en el cuaderno de bitácora, salpicado de expresiones entresacadas de la jerga marinera.

El trabajo en el mar tiene antecedentes bíblicos. La vocación del marinero está enraizada en una exhortación evangélica que, sacada de San Lucas, el evangelista de más rigor histórico, sirve de cita introductoria en *Gran Sol*: "Dijo a Simón: Tira a alta mar y echad vuestras redes para pescar." No se trata, por tanto, de un llamamiento interior, sino de un precepto histórico-religioso que se remonta a la Biblia. La labor marinera es entonces mandato, ley divina. Doce son los tripulantes del *Aril*, número que simboliza la raíz apostólica del oficio que desempeñan. Se comprende de este modo lo dicho por Rosendo Roig, S.J., en su reseña de *Gran Sol*. Dirigiéndose a Aldecoa, comenta acerca de lo que le revela la lectura de la novela en cuanto a su elemento humano: "Empecé a conocer a tus monjes del mar. Su vocación no era específica, humanamente me pareció atávica."[8] Pero el marinero no está consciente de semejante atavismo ni de sus implicaciones bíblicas; lo que siente es la atracción irresistible del mar, la cual él achaca a una rutina vital y también a la libertad humana de que goza el marinero. Dice Simón Orozco: "—El que está hecho a la mar, la tierra le viene pequeña. (...) Aquí eres tú el que gobiernas, en tierra te gobiernan. Aquí estás solo con el agua y el cielo" (141). Sin embargo, se queja al mismo tiempo, con acritud, de estar siempre en la mar. En una conversación con Paulino Castro, Orozco expresa sus deseos de retirarse, de dejarlo todo, de quedarse en casa, con su familia, a quien rara vez ve, pero confesando siempre que en tierra no está a gusto. Quiere quedarse en tierra, pero no puede. El mar es un vicio, una necesidad, una solución, un encadenamiento. El determinismo marino pende sobre padres e hijos: "José Afá pensaba en sus hijos, en sus tres hijos, que él no quería que fueran a la mar, pero que tenían el futuro en la mar" (132–33). La atracción que el mar ejerce sobre el marinero se caracteriza por su dramatismo en los pensamientos de Paulino Castro: "La tierra le cansaba. Estaría en la mar hasta que no pudiera sostener el rumbo de la rueda, hasta que no pudiera agarrar las cabillas, hasta que las piernas le fallaran y se fuera en los balances contra los costados ya mal estibado el corazón" (148).

Cruel, dominante, tentador y generoso, el mar produce en el marinero reacciones polarizadas por sentimientos extremos y opuestos: el odio y el amor. Con el trabajo, expresa Orozco su amor por el mar; con su obsesión de perseguir y destruir cailas, muestra su odio. El hombre, sabiéndose impotente ante la fuerza y la atracción del mar, desahoga su furia contenida en algo que está dentro de sus posibilidades físicas, en algo que pertenece al mar: en la "caila hediente (...). La caila del clan de los grandes escualos, quieta y larga como un madero ennegrecido por las aguas" (83). Obsérvese la comparación de la caila con un madero, imagen reminiscente de un barco también ennegrecido por las aguas y el tiempo.

Al odio se contrapone el amor que el marinero siente por el mar cuando éste, respondiendo a las cuitas de aquél, en una entrega total, le retribuye, regalándole la subsistencia apetecida. El mar es entonces promesa, matrimonio. Tal rendimiento nos lleva invariablemente a la red como trabazón entre el marinero y el mar. Una de las satisfacciones "es hacer la cábala de la pesca a sacar, según las mallas que se atan para cerrar la boca de pérdida" (150–51). La red es vehículo de subsistencia, por lo cual se comprende que cunda la alegría entre los marineros al poner sus manos y trabajar en tan valioso y enlazador aparejo. La importancia de la red se evidencia igualmente al serle otorgadas caraterísticas humanas, en las cuales el mar es el factor principal. Con el mar, o mejor dicho *la* mar, los marineros están desposados—no en vano ellos emplean habitualmente la forma femenina. En *la* mar ven a la mujer que se les niega durante la travesía. Son varias las alusiones a la falta de mujer y a las relaciones sexuales con las esposas o con otras mujeres. José Afá, el contramaestre, sensualizando la red flotante, ve en ella una forma femenina, "de mujer con las caderas prominentes de fecundidad aparente, de pechos grandes y redondos, de cabeza pequeña'' (63). En otro lugar, se confirma la fantasía sexual de Afá, señalándose su realidad visual en una descripción: ''La red flotó unos minutos adoptando su invariable forma de mujer sobre la mar tranquila y se fue a fondo'' (150). La red, enlace del hombre con el mar, pierde por unos momentos su sentido laboral para convertirse en vínculo sexual; el aparejo se antropoformiza, se hace mujer fecunda, promesa de madre. Sin embargo, el mar y sólo el mar es lo que verdaderamente alimenta y da forma y movimiento a la red, como si quisiera tentar al marinero.

El mar, periódicamente, entrega al marinero lo que éste desea. La misión dual de la red, búsqueda y entrega, obedece al mandato bíblico, ''echad vuestras redes para pescar,'' y, al mismo tiempo, deja traslucir el cariz connubial del encuentro del hombre con el mar, la unión del marinero —el esposo— y *la* mar —la esposa. En su entrega, el mar, con cada redada, invade el barco, o como dice Aldecoa, con pincelada metafórica que una vez más nos lleva a lo bíblico: ''Las redes de arrastre vuelcan el quinto día de la creación del mundo sobre las cubiertas de los barcos pesqueros'' (83). Entonces, las descripciones de la florafauna, como el arte que invade la cubierta, vierten sobre el lector de *Gran Sol* una rica, a veces conocida, otras ignota, nomenclatura:

> Grandes vejigas rojas y amarillas, cardúmenas y pólenes de peces carnavales y paysos, algas ocres y retintas. (...) Tras la florafauna: matas (...) colonias; (...) los discos cenicientos de las rayas, las pintarrojas oceladas cambiando el reciente color crema de la sacada por una rosa fuerte al compás de una larga agonía, las sulas largas, albas, como de aluminio, las blandas langostas de coral enzarzadas en una pesadilla combatiente con las mallas del arte (...) diminutos, boquiabiertos rapes, ajados sus apéndices de pesca. (...) los escualos de gatunos ojos: mielgas de aguijones en las aletas dorsales y caudales, pequeños tolles de duros dientes, pequeñas fieras de las aguas, que sobre cubierta vidriaban los hermosos ojos de furia impotente. (...) la serpenteante presencia de los congrios, el equívoco formal de ojitos y lenguados, la suprarreal creación del pez rata, incisivos de roedor, pelo o escama, larga cola barbada, coloración gris, grandes ojos, verdes o azules, de animal asustado (82–83).

No es una enumeración exhaustivamente técnica, sino que contiene una gran riqueza de expresión, atrayente por sus ágiles e imaginativas observaciones. En su entrega, *la* mar —la esposa— muestra y regala al marinero —el esposo— el fruto que éste pretende, abundante y fantasmagórico, una auténtica avalancha de colores: ''El monte de pesca tenía los blandos colores del mundo submarino'' (83). Tales colores, por sus tonos delicados, sirven para descubrir con precisión la policromía de la naturaleza; unión cromática del mar y el cielo. Así, ''el sol cambiaba en la bruma: rojo a naranja, naranja a limón, limón a color de vientre de pez'' (53). O aunándose imaginación y precisión, movimiento y color: ''El sol navegaba embozado por las nubes y sólo unos reflejos amarillos, del amarillo corrido del cambio de los grandes cangrejos, se filtraba arriba y abajo de la marca de su círculo'' (70). La fauna marina, que en vida enlaza cromáticamente el mar con el cielo, y subsistencialmente al hombre con el mar, en la muerte envía su mensaje fatídico, premonitorio de la suerte del hombre:

"Las bocas feroces y dolorosas de las merluzas, los cuerpos sumergidos en los cuerpos, amenazaban desde la muerte. Los lenguados, recorte de suelo, tembloroso límite de arena de fondo —ojos nublados, tacto graso, horizontalidad de espina— eran pura sumisión desde la muerte. Los bacalaos y las barruendas de senatoriales testas, solidificadas gelatinas, habían muerto plácidamente'' (163).

Tales descripciones tendrán reflejo después en el fatal accidente de Simón Orozco, con el que se simboliza el encuentro postrero del marinero con el mar, el abrazo mortal, la fusión definitiva. El mar destruye a Simón Orozco. El copo, repleto de pesca, lo arrastra, aprisionándolo y aplastándolo. Irónicamente, la pesca y el trabajo —el mar— matan a Simón, el patrón que les dedicó toda su vida. El funesto encuentro del mar con el hombre es percibido por Orozco exteriormente a través de su propia situación, esto es, las circunstancias le permiten visualizar, como si de un espejo se tratase, la mezcla del cuerpo humano con el fruto del mar, encontrando su doble humano en las figuras de los otros marineros: "Simón Orozco volvió la cabeza y en la turbiedad de su mirada se mezclaron los rostros de los compañeros, las botas de los compañeros en un paisaje confuso de fauces, ojos desorbitados, hermosos cuerpos de las grandes merluzas y los grandes bacalaos'' (180).

En el choque del marinero con el mar observamos extraordinarias coincidencias. Tenemos la búsqueda por ambas partes: el hombre busca la subsistencia del mar; el mar busca la existencia del hombre. Ambos entregan: el mar, su fauna; el hombre, su vida. Hombre y fauna, vida con vida, muerte con muerte después, se confunden en la red, aparejo suministrador y conectivo que ahora posee también carácter igualador, pero la marinería del *Aril* intenta a toda costa romper el vínculo, la igualación. Simón Orozco les pertenece. Saltan sobre la red, se arrodillan sobre ella y a cuchilladas rasgan las mallas que encierran a Simón con *la mar*.

Las descripciones de la agonía de Simón contienen una gran belleza metafórica. La voz autoritaria, que antes había dado órdenes expresas a la tripulación, cae agotada ahora, "como si de un pájaro muerto se tratase, sobre los mismos labios, sonido o ala desmayados'' (183). Cuando muere el patrón de pesca, calla el barco y vocean los elementos, una prueba más de las imponentes fuerzas de la naturaleza que, en la hora postrera del marinero, salmodian ruidosa y violentamente la muerte de éste:

A mediodía murió Simón Orozco, cuando los partes de la BBC se oían en el puente como un moscardoneo sin sentido. A mediodía el motor calló. A mediodía el viento norte aumentó su violencia y la lluvia era un muro inabarcable y sonoro. A mediodía el *Aril* hacía capa a la espera (193).

La epanáfora, tan usada por Aldecoa en su novela anterior, *Con el viento solano,* es utilizada con parquedad en *Gran Sol.* La cita anterior constituye una de las ocasiones relativamente escasas en la novela. El momento de la muerte de Orozco se describe con cuatro oraciones contenidas en un solo párrafo algo apartado del resto del relato, lo cual destaca su importancia. Da la sensación de ser la esquela mortuoria del patrón de pesca. Cada oración comienza con un «A mediodía,» epanáfora que, dada la situación y por su justo empleo, hace del párrafo una breve elegía.

La repetida puntualización del momento de la tragedia guarda cierta similitud, en menores proporciones, naturalmente, con el también repetido señalamiento que hay en el *Llanto por Ignacio Sánchez Mejías* de Lorca, pero las implicaciones son muy diferentes. El estribillo ''a las cinco de la tarde'' y el ''mediodía'' marcan el instante del fatal desenlace, pero si el estribillo del *Llanto* indica una exactitud horaria de alcance cósmico, ''eran las cinco en todos los relojes,'' el reiterado ''a mediodía'' señala una simultaneidad de sucesos que tienen eco solamente en el mundo marinero del patrón de pesca Simón Orozco. Muerte más humilde la de éste en su abarcamiento, muerte de justa realidad. Las dimensiones míticas y cósmicas que se dan a la muerte del torero hacen olvidar la personalidad de Ignacio Sánchez Mejías. Sin embargo, la personalidad de Simón Orozco, a pesar del carácter elegíaco del párrafo, a pesar del sello trágico y metafórico que se da a su agonía y a su expiración, se mantiene dentro de la rutina diaria de su oficio: el escuchar en el puente los partes de la BBC, el ordenar que pongan en marcha o que paren el motor del *Aril,* el enfrentarse con la hostilidad de las fuerzas metereológicas, el esperar la calma, coincidente todo con el momento de la muerte del patrón. Tal momento, por otra parte, corrobora, en vena simbólica, el trágico intercambio con el mar. A mediodía los marineros del *Aril* habían comenzado las faenas pesqueras en Gran Sol, razón y meta de su viaje. ''A mediodía había sacado el *Aril''* (163), se nos dice en jerga marinera. Dos días más tarde, a mediodía también, con la misma exactitud que controla su vida diaria, muere Simón Orozco a consecuencia de la segunda sacada del *Aril,* y entonces, en ese instante, se invierten los términos: entrega el *Aril* y saca el mar.

Las últimas palabras de Simón Orozco —''«el mar...»''— antes de caer en un estado comatoso, del cual ya no sale jamás, son una prueba irrefutable de la entrega absoluta del marinero al mar. ''Dios, Dios,'' dice, empleando la misma expresión y haciendo el mismo gesto con que solía significar su contrariedad ante los yerros laborales de la marinería. Recuerda después a su mujer y a sus hijos y, finalmente, al mar. Piensa en sus dos esposas: María, la esposa física, la mujer que él ve de cuando en cuando, la que para él representa la tierra, y *la* mar, esposa espiritual, con la que cohabita la mayor parte de su existencia. Las últimas palabras, sin embargo, pronunciadas con un grito estentóreo, en las que tal vez se mezclen la evocación —la vida marinera— con la acusación —la culpabilidad de la mar— son para la esposa a quien había dedicado toda su vida,[9] desde chico en los barcos yanquis. La mar es, pues, finitud, sepultura espiritual a la postre. De este modo, la muerte del patrón de pesca es expresada por Joaquín Sas como un desplome vital visto con perspectiva marinera: ''—Ya está en el fondo,'' dice (193).

La tripulación es la que decide el entierro de su patrón. Este, espiritualmente, se entrega a la mar, pero, físicamente, pertenece a la tierra. Orozco es enterrado en Bantry, fuera de su país. No queda solo: en el cementerio extraño hay compatriotas, marineros también, cuyas vidas fueron, como la suya, arrebatadas por el mar. El mar disgrega: al igual que separa continentes, separa al marinero de su terruño en la vida y en la muerte.

La lectura de *Gran Sol* trae a la mente aquella observación de Henry James de que el verdadero novelista crea tanto a su lector como a sus personajes. La creación del lector se consigue en este caso mediante un aprisionamiento literario, por el cual aquél entra completamente en el ámbito de la novela (según los deseos de Aldecoa), en el mar, experimentando las consecuencias marítimas. El lector ideal de *Gran Sol* es el que, como Aldecoa, lleva en su alma un espíritu de aventura o de curiosidad por la aventura. Semejante lector hace, experta o neófitamente, una «marea» de altura como la hizo el propio autor. El ''recinto hermético'' orteguiano cobra así una insospechada realidad. No se trata aquí, como abogaba Ortega, de encerrar al lector en la novela sin posibilidades de que entrevea ''el horizonte de la realidad,''[10] sino de atraerle a una realidad que no es la suya propia, pero que él sabe que existe. Probablemente fuera de su habitat, perplejo ante un modo de vida ajeno al suyo, perdido en la maraña de una terminología extraña, el lector descubre, no obstante, la dureza, la poesía y el drama del oficio de pescador de altura. Transcendiendo una aparente vulgaridad, el lector llega a comprender a los marineros en el sentido existencial y subsistencial del ser *en* y *para* el mar, el mar que es principio, origen, azar y finitud.

El mar, en un sentido terminal, nos lleva invariablemente a la muerte de Simón Orozco, cuyo impacto en la novela, desde un punto de vista dramático y simbólico, es enorme. El fatal accidente, punto culminante de la tragedia del marinero dentro de su elemento laboral —vital para él— es, por su contenido poético y alcance simbólico, una prueba concluyente de los propósitos literarios de Aldecoa en *Gran Sol*: la creación de una novela (no un documental), en la que, paulatinamente, con la lentitud propia de los viajes marítimos, se va percibiendo la medida del hombre con el mar en razón de su oficio. La muerte de Simón, la muerte del marinero, subraya trágicamente el papel destructor del mar en la novela, desde su confabulación con el cielo y los elementos hasta el cobro de la vida humana. Realidad y símbolo se alternan en *Gran Sol*: a la realidad atiende el testimonio de la dura vida laboral del pescador de altura; al símbolo corresponde la humanización de las relaciones entre el mar y el hombre que, caracterizadas por la dicotomía odio/amor, culminan en una fusión casi reminiscente del último peldaño de la escala mística. Aldecoa, hábilmente, nos lleva en la novela hacia la unión definitiva en un nivel literario: la realidad con el símbolo. La victoria física del mar es innegable. "—Tiene mucho valor el patrón, es mucho hombre el patrón," dicen, encomiando la fortaleza del viejo marinero. Pero en la respuesta se reconoce la superioridad del mar sobre el hombre: "—Ya lo sé, pero la mar..." (183). El hombre, subordinado a la dictadura del mar, queda empequeñecido, incluso aplastado, como le ocurre a Simón, ante la magnitud del gigante marino. Pero de ahí nace la grandeza del ser humano, el marinero en este caso, que aún en inferioridad de condiciones, físicamente humilde, persiste, sin arredrarse, en su lucha vital.

Fernando Arrojo
Oberlin College
Oberlin, Ohio

NOTAS

1. Entrevista de *Las Provincias*, Valencia, 10 de noviembre, 1968.
2. "Un magnífico, un sensacional documental. Un documental con la sucesión de imágenes proyectadas y hasta coloreadas en letra impresa. (...) Aldecoa ha compuesto, dirigido y proyectado su documental, ni más ni menos que si se tratase de un gran director de cine," decía Federico Carlos Sainz de Robles en *Madrid*, 30 de enero, 1958. Gonzalo Torrente Ballester opina que *"Gran Sol* está más cerca del reportaje que de la novela." *Panorama de la novela española contemporánea*, 2a. ed. (Madrid: Guadarrama, 1961), p. 458. Ciertamente, se utiliza una técnica cinematográfica en varias de las descripciones en la novela. Hay momentos que parece que la cámara, no la pluma, recorre los escenarios, vertical y horizontalmente, acercándose y alejándose. Pero no por eso debemos ver un documental cinematográfico plasmado en sus páginas, sino la influencia del cine en la literatura contemporánea, algo ya muy reconocido. *Gran Sol* es positivamente una novela del mar, no un reportaje marítimo ni un documental cinematográfico.
3. Los conocimientos marinos de Aldecoa constituyen un caso único en la literatura española. Otros escritores, Pereda, Valdés, Baroja y Espinosa, por ejemplo, han escrito excelentes novelas del mar, pero ninguno ha estado tan técnicamente documentado como Aldecoa en *Gran Sol*.
4. Manuel García Viñó, *Ignacio Aldecoa* (Madrid: EPESA, 1972), p. 110.
5. Entrevista de *El Alcázar*, Madrid, 3 de mayo, 1967.
6. *Gran Sol*, 3a. ed. (Barcelona: Editorial Noguer, 1969), pp. 150-51. De aquí en adelante todas las citas de *Gran Sol* señalarán el número de la página en que se halle cada una, según la ed. cit.
7. Algunos han lamentado la extenuación que supone la lectura de *Gran Sol* en vista de su terminología marinera. Dice Sainz de Robles: "Ignacio Aldecoa prodiga hasta el exceso los términos técnicos y los terminachos de la jerga marinera; hasta punto tal, que convendría a su obra, en ediciones sucesivas, un apéndice vocabulario." Crítica cit. Eugenio de Nora, sin embargo, va al otro extremo:"Sin serme familiar el lenguaje marinero —dice— no he notado más que diez palabras desconocidas para mí en todo el libro." Nota en *La novela española contemporánea* (1939-1967) III, 2a ed. (Madrid: Gredos, 1970), p. 307. Nuestra posición es intermedia. Opinamos que para la

mayor parte del público lector la lista de tecnicismos desconocidos en el vocabulario de *Gran Sol* sobrepasaría en mucho la del Sr. de Nora. Convenimos con el punto de vista de García Viñó, que dice: ''A nuestro juicio, el empleo de tales tecnicismos no sólo era insoslayable, sino también aconsejable.'' Y aduce que así el relato gana en veracidad ambiental. Finaliza diciendo, con razón, que si las partes del barco tienen sus nombres definidos, ''no hay ninguna razón de peso para exigir que se les nombre de otra forma.'' *Op*. cit., p. 127.

8. ''Carta abierta a Ignacio Aldecoa'' en *La Hora*, Madrid, 8 de febrero, 1958.

9. Las últimas palabras de Simón Orozco, ''«El mar...»,'' comunicadas por Paulino Castro a la marinería, dan lugar a ciertas reflexiones en consideración al género de su artículo determinado. Son muy pocas las veces que se expresa el vocablo «mar» en su forma masculina en la novela: por ejemplo, en las páginas 84, 180 y 191 lo emplea el autor en descripciones y en las páginas 116 y 120 es usado por Orozco, para expresar sus sensaciones (P. 116), y en un monólogo interior (p. 120). Por último, Orozco vuelve a utilizar la forma masculina a la hora de su muerte. De otro modo, la forma femenina se usa a lo largo de la novela en toda suerte de circunstancias. ¿Cómo es posible que a la hora de su muerte, Simón Orozco, marinero hasta la médula, se dirija al mar adoptando la forma masculina? ¿Se trata de un lamentable error tipográfico? El hecho que las tres ediciones de *Gran Sol* contengan la misma expresión parece indicar lo contrario. ¿Es quizá un mensaje simbólico que, expresado inconscientemente por Orozco dado el estado en que se halla, implica la liberación del marinero del encadenamiento con *la* mar que sólo la muerte puede romper? Tal interpretación hubiera sido mucho más verosímil si no se hubiera empleado en absoluto la forma masculina en la novela. Sin embargo, tenemos los precedentes antes señalados. ¿Intenta el autor demostrar la inconsistencia lingüística que afecta el habla diaria de cada uno? ¿Es acaso un *lapsus calami* de Aldecoa? Sea lo que sea, por su vaguedad, y teniendo en cuenta lo crucial del momento en que se utiliza, la voz «mar,» en su forma masculina, crea confusiones tanto más chocantes cuando la novela es un modelo de planificación lingüística.

10. José Ortega y Gasset, ''Ideas sobre la novela,'' *Obras completas*, III, 4a. ed. (Madrid: Revista de Occidente, 1957), p. 411.

IGNACIO ALDECOA
A FORGOTTEN MASTER:
A CRITICAL RE-EXAMINATION OF
GRAN SOL

By

Jack B. Jelinski

As post-war critics and novelists turn their attention toward new frontiers beyond the extended boundaries of nineteenth-century realism, "social realism" has become a class name for a large number of works judged as sharing a common utilitarian, anti-aesthetic, socio-political creed limiting their artistic value.[1] The novels of Ignacio Aldecoa have been unceremoniously relegated to this period. This essay will critically re-examine Aldecoa's last major work, *Gran Sol*, in order to illustrate that it transcends the rather arbitrary limitations imposed upon the "social novel" of the fifties.

Gran Sol won the "Premio de la Crítica" when it was published in 1957 but has subsequently received only cursory critical attention.[2] Critics have commonly classified it as a sociological novel of documentary reportage implying that it lacks artistic elaboration.[3] A more careful analysis reveals that this novel is a precisely orchestrated work in which Aldecoa harmonizes a series of structural elements and themes to make a logically consistent, universal statement about the very nature of existence.

A deceptively simple framework of incidents generates the fabric of the plot. The book is divided into two parts each containing seven chapters and narrating the events which occur during a period of seven days. It begins as the *Uro* and the *Aril* sail north to the fishing banks of the Greal Sole and ends as they return south to the port of Gijón. The final lines of each half of the novel clearly mark the symmetry of the voyage: "rumbo al norte," "rumbo al sur." The accidental death of Simón Orozco constitutes the only significant occurrence within this structural framework.

The closed circle described by the plot trajectory and reflected in the mathematical disposition of the chapters[4] symbolizes the cyclical nature of the existence of the fishermen of the Cantabrian coast for whom the sea represents a continual threat of death. Each man views his life as a reflection of the past and an extension into the future when his children will be enmeshed in the same struggle for survival. Their deaths will not interrupt this process just as the death of Orozco does not interrupt the circular voyage of the *Aril*.

The Theme of "Fortuna"

There is abundant textual evidence to support the generalization that the ruling force in the lives of the fishermen of the *Aril* is pure chance, referred to as "suerte" and symbolized by the ship's compass. While Fate personifies the concept of an inflexible and unchanging destiny, Fortune embodies the characteristics of mobility, inconstancy and capriciousness.[5] Not only do references to luck permeate every chapter of the novel, but all plans made during the voyage are conditional. The characters always refer to the future with reservation.

The association of the goddess Fortuna with a ball or the wheel emphasizes the unpredictable nature of her influence which functions traditionally as the guiding force of ships. In *Gran Sol* the ship's compass becomes the explicit, symbolic representation of this force. Simón Orozco is aware that the thirty-two directional points will determine the success or failure of the expedition just as the numbers on a roulette wheel dictate the wins and losses of a gambler: "Simón Orozco, echado en su litera, calculaba la moneda que lleva cada ola, si salía cara, si salía cruz; calculaba en la rosa de los vientos como en una ruleta, y dejaba opinión en su rolar" (46). In the following passage Aldecoa uses personification, metaphor, verbal accumulation, repetition and a series of semantic-syntactic parallels to give relief to its conceptual content thereby assuring that even the most careless reader cannot ignore the role of Fortune. I have rearranged the prose passage for purposes of analysis:

> En la bitácora habita el duende caprichoso de los rumbos que no se ajusta más que a la llamada de los polos.
> Danza, danza y danza más. Nada arriba y nada abajo.
> Salta como los delfines,
> vuela como los albatros,
> duerme con los ojos bien abiertos,
> vela con los ojos cerrados
> se mece emperezando,
> corta paralelos,
> brinca meridianos.
> En el carrusel de la rosa de los vientos, de los rumbos, en la rosa náutica, en la aguja, habita el duende de la inquietud del hombre. El duende que gasta el corazón del marinero en el juego de sus treinta y dos caprichos principales (56).

The repetitive accumulation of finite verbs in the central section emphasizes the mobility of the guiding spirit that dwells in the compass housing. Instead of predictable directional indications it contains thirty-two principal "caprichos" which indicate the constant possibility of a sudden stroke of bad fortune. This explains the logic of the metaphor "El duende de la inquietud del hombre," and "El duende que gasta el corazón del marinero."[6] The use of oxymoron in the phrases "duerme con los ojos bien abiertos, vela con los ojos cerrados" reflects the deceptive nature of chance which blindly maintains its vigil and destroys the hope of those who trust in her.

Aldecoa further underscores the importance of this theme by punctuating the narrative with log-book entries. Some critics would have us believe that the author inserted these entries merely to strengthen the novel's documentary realism. While they do serve this end they function more importantly as constant reminders of the role of chance. The mariner at the wheel keeps a written record of all dangers and problems encountered each day referring to them as "novedades." The notations characteristically begin or end with the phrase "sin novedad." The penultimate log entry records Simón Orozco's death as an accident of chance: "Simón Orozco ...Sin otra novedad, la damos fin" (197).

The epigraph which begins the novel communicates a parallel meaning: "Dijo a Simón: Tira a alta y echad vuestras redes para pescar." The resonance of this epigraph remains constant throughout the novel because of the metaphoric identity between Simón Peter and Orozco. The Lord aids the biblical fishermen who must enlist the aid of their comrades to harvest the fish from their bursting nets. Adverse circumstances force Orozco to hastily lift aboard his net which crushes him when a faulty cable breaks (182). The parallel circumstances set the determining forces of Divine Providence and Fortune in direct contrast thereby emphasizing the role of the latter in the world of the novel.[7]

Simón Orozco and Death

Several elements directly relate Simón Orozco to the theme of death. The fate of his old shipmate Antón Zugasti is the most obvious. The first of several references to Zugasti's death occurs in the opening chapter: "Se acordaba...el bou Asunción no tuvo suerte. En la primavera pasada, a la altura del faro de Bull. Se acordaba...Antón Zugasti, su patrón. A la altura del faro de Bull, viejo conocido Antón Zugasti, viejo conocido. No, no tuvo suerte Zugasti" (15–16). When the ships reach the northern port of Bantry, Orozco visits the cemetery where his old friend lies buried along with generations of fishermen who navigated the fishing banks of the Great Sole. He promises to return: "Agur, Zugasti, hasta la próxima vez. Todavía, Antón, entraremos este año..." (21). Orozco dies at sea near the same lighthouse associated with the death of Zugasti and as the ships return south he is buried in the cemetery where he had visited his friend. By introducing this theme of historical recurrence Aldecoa expands the temporal dimension of the novel emphasizing the cyclical repetition of the life-death struggle of men against the sea.

The second motif which links Orozco to this theme is his obsessive hatred of sharks. Whenever they come near the ship he orders his men to attack and tear them apart with gaff-hooks: ''Simón Orozco odiaba a las cailas. Ordenó: —echadle un gamo a la grande, a esa que está pegada a estribor. No la saquéis. Procurad rajarla... la caila, con el zambullo fuera, abierta desde la boca a la fosa nasal, se perdió en las aguas. Simón Orozoco se rió ententóreamente;...'' (90). Orozco sees the sharks as a malign incarnation of the ever-present death-threat of the sea.

Throughout the novel Aldecoa portrays the sea as dynamic, unpredictable and violent; a force with which the men of the *Aril* must contend in order to survive. As the ship encounters the first bad weather out of Bantry, the sea becomes a menacing giant: ''La mar a los costados del barco era un gigante, musculosa oscuridad,...'' (33). Connotations of darkness and death repeatedly accompany descriptions of this formidable adversary: ''El *Aril* navegaba gelatinosas aguas bicolores: verdes, de los verdes oscuros del septentrión, en su torno inmediato; negras, de las profundas negruras minerales —brilladoras, titilantes, engañosas— del carbón, viniendo a la reñida del naufragio'' (93). Aldecoa characterizes Orozco as constantly on the defensive against this threatening predatory force. His spatial separation from the crew emphasizes the loneliness and constancy of his vigil but a momentary error of judgment causes his death. As he lies on the deck, his face is still turned toward the sea which claims its victim: ''Se quebrantó el silencio con ruidos y expresiones inarticulados —fatiga, angustia, miedo— y el mar, batiendo las amuras, alcanzó las manos del patrón de pesca,...'' (180). Aldecoa maintains an external, objective point of view in the novel and does not intrude to outline the contours of this adversary relationship which is, nevertheless, clearly developed. Orozco explicitly recognizes it as he realizes he will die: ''No, Macario, la mar tiene su ley'' (184). ''La mar es la culpable...'' (185).

Violence and Death in the Natural World

Aldecoa expands the significance of the struggle for survival on the human plane through the use of recurrent parallels with the struggle for survival in the natural world. Toward the end of the first chapter a young boy captures an octopus which he will eventually kill: ''Uno de los hijos del contramaestre Afá entró en el bar con un pulpo pequeño, rabioso en su agonía, cubriéndole una mano. El chiquillo salió a la calle con su pesca furiosa'' (24). In the absence of similar passages in the novel, this initial one portraying the anger and fury of an animal threatened with death would appear as merely a descriptive anomaly, a curious detail. However, Aldecoa consistently dramatizes the resistence to death displayed by the victims of the fishermen: ''Se vertía la red con los escualos de gatunos ojos...pequeños tolles de duros dientes, pequeñas fieras de las aguas, que sobre cubierta vidriaban los hermosos ojos de furia impotente...grandes ojos, verdes o azules, de animal mal asustado'' (82–83); ''Los besugos, coleteando, resistiéndose a la muerte...'' (84); ''Las bocas feroces y dolorosas de las merluzas, los cuerpos submergidos en los cuerpos, amenazaban desde la muerte'' (163). Since the novel contains an enormous amount of objective, descriptive detail these passages stand out in contrast.

Similarly, the sea birds, confronted with the threat of death at the hands of the fishermen, demonstrate an intense will to survive. The following passage relates the instinctual impulse of the sea bird to retain within its grasp the indefinable essence of life itself until the last vestige of strength is drained from its body: ''Aún tenía el animal un estremecimiento, un postrer reflejo que se agotaba en las membranas de los dedos; membranas que fueron arrugándose a medida que los dedos se crispaban en una última presa de algo ya escapado a las honduras del cielo o del mar, de algo disuelto, evaporado, de algo inexistente'' (156). Just as the movements of the animal reveal the intensity with which it instinctively grasps for life, the movement of Orozco's hand reveals that man, too, instinctively tries to hold onto life even as death approaches (185). In describing Orozco's loss of speech in his death agony, Aldecoa uses the metaphor of a dying bird thereby reinforcing the thematic parallel: ''Una voz estertorosa abrió los apretados labios del patrón de pesca, agotó las fuerzas de dolor que la produjeron y cayó, como si de un pájaro muerto se tratase sobre los mismos labios, sonido o ala desmayados'' (183). Orozco's death clearly is not isolated from the life-death continuum of the natural world. The analogy Aldecoa has established between the human and the animal world further amplifies the meaning of the novel. It places the voyage of the *Aril* within a larger context of the cyclical process of life itself. Seen from this perspective the novel becomes an epitaph to generations of sea-faring men who have perished without a trace in the inexorable flow of time toward death.

Poetic Language

At the level of linguistic expression *Gran Sol* contains a large number of narrative and descriptive passages which reveal a high degree of aesthetic distortion. The themes and motifs thus treated are ''foregrounded''; that is, they stand out against the background of norms which characterize the descriptive language in general.[8] This foregrounding of elements in the novel is not an aesthetically neutral expression of content; on the contrary, it emphasizes basic themes through the use of techniques most commonly associated with poetry. Like the passage discussed earlier which portrays the symbolic spirit of the ship's compass, the disposition of the following fragment has been modified in order to illustrate the rhythmic quality of the prose.

> ''Las olas traían un extraño rumor,
> como de grandes hojas de acero quebrándose,
> como de alas batiendo en el aire lenta e insistentemente.
> Rozaban los costados del barco,
> rompían en la punta de proa,
> se sucedían en la lontananza y
> lo llenaban todo de su rumor

metálico
alado y
escalofriante'' (100).

Here imagery communicating tactile and auditory sensations vividly expresses the animate nature of the sea. The central series of imperfect verb tenses suggests the motion of the waves. One can clearly observe rhythmic groups of two, four and three as well as semantic-syntactic parallels which imbue the description with a tight conceptual unity. The last clause repeats the initial images of crashing steel and beating wings. The essential characteristic of the prose in these passages is its rhythmic quality. This same technique places in relief the constancy and duration of Orozco's lonely vigil: "diecisiete horas al timón. Diecisiete horas, diecisiete días seguros. Comiendo al timón, soñando al timón, esperando al timón . . ." (63). The following example characterizes the spatial isolation of the crew and the tense silence they experience as they wait for a threatening fog bank to disappear: "En el rancho de proa se sentía el silencio, se palpaba el silencio, sonaba el silencio, compacto, gelatinoso, triste, de las siestas colectivas: Prisión, cuartel, barco" (145).

This brief analysis does not pretend to be exhaustive; there are abundant examples of poetic prose in the novel. Considered within the context of the narrative as a whole, the aesthetic deformation of language serves a dual purpose. On the one hand it sets in relief important themes and motifs against a background of objective descriptive detail, and on the other it serves to balance the formidable accumulation of seemingly inconsequential narrative events. A thorough study of this aspect of the novel will reveal decisively that *Gran Sol* is not a mere "inventario notarial."[9]

Summary and Conclusion

On the basis of this limited analysis it is clear that those who have categorized *Gran Sol* as primarily a social novel of documentary reportage have not read it carefully. In spite of the simplicity of its temporal planes and the straight-forward arrangement of its narrative sequences the novel unquestionably exhibits a high degree of structural complexity. No clearly developed dramatic line of action induces the reader to anticipate the course of the narrative. Instead he is faced with an unremitting serial order of occurrences which simply relate the activities of the fishermen. This is, however, only the surface of the novel.

Aldecoa has drawn an analogy between the circular voyage of the *Aril* and the cyclical nature of existence itself. The characters in the novel perceive the trajectory of their lives as part of this process. The Orozco-Zugasti parallel introduces the theme of historical recurrence and expands the temporal dimensions of the novel. The metaphoric identity of Orozco and Simon Peter suggests that human events are ruled by the same laws of survival which govern the natural world. The constituents of the work examined in this essay have been precisely orchestrated to develop this world view. *Gran Sol* exhibits a tight organic unity which reveals a high degree of artistic elaboration. Aldecoa cannot be considered as just another novelist of the fifties; he is a master-craftsman of the genre who has elaborated a fictional world uniquely his own.

Jack B. Jelinski
Montana State University
Bozeman, Montana

NOTES

1. José María Martínez refers to the novels produced during this period as objects of mere literary archeology. *La novela española entre 1939 y 1969: Historia de una aventura* (Madrid: Castalia, 1973), p. 242.

2. An exception to this generalization is the book: *Ignacio Aldecoa* by Manuel García Viñó (Madrid: EPESA, 1971). In spite of his excellent work the author was forced to abbreviate his study because of the limitations imposed by the editors of the collection. See pp. 7–8. There also exist three unpublished Ph.D. dissertations on Aldecoa: Otto G. Fischer, "La tragedia humilde en la narrativa de Ignacio Aldecoa," University of Miami, 1971; Charles Richard Carlisle, "The novels of Ignacio Aldecoa," University of Arizona, 1971; Jack B. Jelinski, "Formal Unity in the Novels of Ignacio Aldecoa," University of Wisconsin, 1974.

3. Pablo Gil Casado refers to *Gran Sol* as a "novela reportaje." *La novela social española* (Barcelona: Barral, 1968), p. xiii. Similarly, Ricardo Senabre believes that the novel: "se halla más cerca del reportaje directo, inmediato, que de las creaciones de ficción." "La obra narrativa de Ignacio Aldecoa," *Papeles de Son Armandans*, No. 144 (enero, 1970), p. 16. All references to *Gran Sol*, 3ª edición (Barcelona: Noguer, 1969).

4. The number seven traditionally symbolizes a complete period or cycle. See: C. E. Cirlot, *A Dictionary of Symbols*, trans. Jack Sage (New York: Philosophical Library, 1962), p. 45.

5. For a full discussion of this distinction see: Howard Rollin Patch, "The Tradition of the Goddess Fortuna," *Smith College Studies in Modern Languages*, III (April, 1922), p. 142.

6. This passage closely parallels the traditional description of Fortuna. She is portrayed as blind or asleep and her movements are always sudden and unexpected. Her actions are so abrupt and unpredictable that even in Medieval and Renaissance literature descriptions of her give rise to considerable use of contrast and antithesis.

7. The compass tatooed on the left hand of Macario Martín, "El Matao," becomes deformed as he realizes Orozco will die, thus symbolizing a fatal stroke of Fortune: "Macario Martín apretaba el puño del delito. La rosa de los vientos palidecía y se deformaba" (p. 188).

8. For a more detailed discussion of the term "foregrounding" see the essay of Jan Mukarovsky, "Standard Language and Poetic Language," *Linguistics and Literary Style*, ed. Donald C. Freedman (New York, 1970), pp. 40–56.

9. Senabre, p. 14.

INTERIOR REDUPLICATION, NARRATIVE TECHNIQUE, AND THE FIGURE IN THE CARPET IN IGNACIO ALDECOA'S *PARTE DE UNA HISTORIA*

by

Robin William Fiddian

The novels and short stories of Ignacio Aldecoa have generally been interpreted in terms of mimetic realism. Gaspar Gómez de la Serna's essay, "Un estudio sobre la literatura social de Ignacio Aldecoa," is an example of this approach.[1] A further illustration is Florencio Martínez Ruiz's conclusion that "En realidad, Ignacio Aldecoa ofrece la textura sociológica de la posguerra, todo el tremendo 'seguir de pobres,' para decirlo con un título suyo, de aquella sociedad subdesarrollada."[2]

Yet such a view fails to take into account Aldecoa's deliberate qualification of the representational nature of his narrative. For he frequently includes stories within the stories of his novels, like those told by María Ruiz in *El fulgor y la sangre,* and he presents characters who, like Domingo Ventura in *Gran Sol,* spend much of their time reading novels.[3] The purpose of this interior reduplication is to underline the fictional quality of the primary narrative, often through an ironic reflection.

In *Parte de una historia,* the last of Aldecoa's four novels,[4] story-telling and the reading of novels are particularly important rhetorical elements. The method of narrative presentation, which necessarily conditions the content, is constantly referred to and reviewed. The authority of an account which might appear an unequivocal statement of fact is visibly questioned.

The first person subject pronoun form is the only term of reference to an enigmatic, anonymous individual who is both narrator and protagonist. He relates a series of incidents which occur on an island situated in the Atlantic Ocean where he has returned, to be recognized and welcomed by the community.[5] In chapter 5 the islanders' peaceful life, with which the narrator has become integrated, is interrupted, by the washing up on their shores of a wrecked vessel carrying four drunken

49

Americans. These "náufragos" immediately associate with two English people already resident on the island, and over the next 10 chapters the outsiders, collectively referred to as "los chonis" (66), proceed to disrupt the community life with their excessive drinking, wild spending and relaxed sexual mores. Chapters 16 to 20 describe the death by drowning and eventual burial of Jerry, who rashly goes swimming when drunk on the night of a carnival. The *chonis* subsequently quit the island, leaving the inhabitants to return to their customarily hard-working existence. Two chapters later the narrator brings the book to a close by announcing his own impending departure.

In the course of the novel he has consequently served to present to his ideal readers a somewhat melodramatic story of negligible anecdotal value about some foreign intruders in a primitive setting.[6] A symbolical interpretation based on the central image of the troubled seas of life is also admissible. Yet such sociological or philosophical views, though perfectly valid as interpretations of the situation and events depicted, are not complete as interpretations of the work of fiction *qua* fiction. The critic who is anxious to define the specific literary character of *Parte de una historia* must look beyond the work's alleged subject-matter to its narrative fictional method.

Aldecoa deliberately draws attention to the artificiality of his text and outlines its poetics in detail. First, the narrator at times uses the language of film and theater to present his material. One afternoon he writes: "Voy por este perfilado arenalejo hacia la tienda de Roque, caminando dentro de un documental cinematográfico" (137). Both media are evoked in the account of Jerry's drowning on carnival Tuesday: "Beatrice, Laurel, Boby y David... vuelven de otro naufragio. Un naufragio antiguo y cinematográfico. Los disfraces, trágicos y ridículos. Un gran final para esta función sonámbula que se ha estado desarrollando en la isla" (173). After the accident the islanders and *chonis* wait together on the quay in "una composición teatral"; Beatrice occupies a position of prominence "en la soledad de la protagonista, en el primer plano de la perspectiva de la tragedia" (186).

Second, the importance of spoken and written narratives is underlined by consistent reference to story-telling and the act of reading novels. The words "contar" and "historia" appear 14 and 12 times respectively in the work which bears the challenging title, *Parte de una historia*. The narrator comments on the popularity of "historias —más o menos inventadas—" (137) with the people who assemble in Roque's shop. Some of the characters read narrative fiction of indeterminate quality. Roque offers the narrator "una novela para dormirte" (14), whilst Luisa becomes immersed, "distraída..., muy dentro de esa novela" (152). When the narrator attempts to read a book one afternoon, he too is distracted "en cada página, como si leer fuera algo enigmático" (163). On page 182 an element of mystery is again attributed to novels.

Third, the question of style and technique in story-telling is openly discussed. When the characters of *Parte de una historia* tell stories, most of them either exaggerate (105), distort (40 and 150), or mythologise the facts they are disclosing. The narrator wonders whether ''es posible que todo pase a ser una leyenda, borroneada la realidad por una cadena de versiones fugitivas y quién sabe en qué acabará todo lo que ha sucedido y está sucediendo'' (106). Only Roque has any respect for the objective truth, which he presents in a controlled and disciplined manner. At one time, when a storm is imminent and some of the boats are out at sea, Roque states the simple facts, ''no queriendo historiar lo irremediable'' (38). Then after the *chonis'* eventful arrival in their wrecked boat, it is Roque who ''con la serenidad, con la misteriosa y objetiva serenidad de la verdad, cuenta sencillamente lo que ha visto'' (61).

To complement the idea of decipherable written words, Aldecoa introduces into his novel a second key passage dealing with the subtleties of form and interpretation. While the sailors are out looking for Jerry's corpse, the narrator remains in his room, meditating: ''Apoyo los codos en las rodillas y agacho la cabeza, contemplando el dibujo de la alfombra, siguiendo su laberinto con los ojos, intentando descifrar el enigma de su comienzo y de su fin. Así, la historia de Jerry, regresado de la muerte en el naufragio, recluido en un corto espacio, en un tiempo medido, y regresando a la muerte, cumpliendo con la ley del laberinto'' (183). This passage offers a theory of hermeneutics, according to which certain fundamental, but ''enigmatic'' patterns of meaning are supposed to lie behind the phenomenal surface of a personal history or a literary account.

A short story by Henry James and certain writings of structuralist critics of literature appear especially relevant here. The passage just quoted (183) begs immediate comparison with James' famous tale, ''The Figure in the Carpet.'' In that penetrating story the narrator, a literary critic by profession, discusses the work of an accomplished writer, Vereker, with a character tenuously related to him. He inquires about the author's ''secret—the general intention of his books; the string the pearls were on, the buried treasure, the figure in the carpet.''[8] Ever since Vereker first articulated the idea of hidden meaning, his critics have searched for the treasure in his works with all the intensity of an obsession. In Aldecoa's *Parte de una historia*, the treasure for which the drunken character in Casimiro's story is searching (8), the figure in the carpet representing Jerry's life-story which the narrator is trying to understand, and the mysterious pattern of words in the narrator's own ''caligraphic monologue'' (24) are all analogues of the secret meaning defined in James' story. In fact the reader infers that he is the real counterpart of that treasure-seeking drunkard and that it is up to him to interpret the pattern in the carpet woven, as it were, by Aldecoa's narrator.

In an exemplary structuralist analysis, Tzvetan Todorov concludes that in James' stories ''L'essentiel est absent, l'absence est essentielle.''[9] The view that ''La littérature n'énonce jamais que l'absence du sujet'' is a commonplace for the structuralist critic,[10] and *Parte de una historia* certainly admits analysis from this point of view. Absence is an important theme and structural element in the novel. Of

Francisca the narrator says: "Este es el latido de su vida: aparecer y desaparecer, y estar ausente-presente" (30). Lost in thought, "Laurel vive en ausencia" (69), "David está ausente" (108), and "Beatrice está ausente y en pasmo" (186–87). One afternoon the narrator shuts himself up in his room, when "esta hora de la siesta —no dormida— ha apagado el deseo de unirme a los náufragos y su séquito, y estoy lejos de aquí y de mí, en otra parte —aunque no podría precisar qué lugar— y en aquél que fui entonces" (134). The recurrent image of the void (35, 45, 104, 129 and 163) also expresses the idea of an abstract yet meaningful realm of experience and understanding. The novel's title reflects this idea as well. *Parte de una historia,* at one level, tells the story of some Americans and Jerry's in particular; that story is incomplete because it suppresses any reference to the character's past or future, confining itself to an account of events occurring in a temporal "parenthesis" (76). The novel also tells the narrator's story, a loosely outlined part of the whole fiction; but in addition to its being a limited account of the temporal aspect of his life —his story is also artifically hermetic or parenthetical—, his narrative is only a partial rendering of the truth about a character whose true nature remains an ideal abstraction, tantalizingly suggested but deliberately and subtly concealed.

Already in *El fulgor y la sangre* Aldecoa had expressed the idea of a hidden, unuttered narration: "María Ruiz intuía que bajo lo que [Sonsoles] contaba se extendía una confesión" (84–85). In *Parte de una historia* he applies that principle on a sustained and sophisticated scale and constructs a novel in which a highly significant, essential confession is both contained in and hidden by an insignificant and banal anecdote.[11]

The foregoing analysis indicates that *Parte de una historia* comprises an elaborate network of reflexive cross-references and equivalents at the core of which is the act of narration. Stories told in various ways by a number of people underline the novel's fictional status by partially prefiguring or duplicating the primary story, and serve at the same time as a framework for the discussion of questions concerning the interpretation and aesthetic evaluation of the text itself. *Parte de una historia,* one may conclude, it a tightly constructed, composite narrative work implying an omnipresent but untold "meta-story."

Such an open-ended scheme begs explanation. Yet the reader is advised against any attempt to extract from the text an unequivocal "message" about the characters and the meaning of their lives. The narrator refers, characteristically, to "la ambigüedad misteriosa de Boby" (106). It could be said that Jerry is not the only person to appear as a mere caricature or mask of his true self: "[una] descompuesta imagen de sí mismo" (141). And in a sombre statement the narrator warns that "Nadie puede entender el fondo de un hombre" (104). If the reader is precluded from satisfactorily understanding the characters of *Parte de una historia,* he is no better equipped to make full sense of the novel's plot. As the narrator explains, "Los datos objetivos del anochecer y de la noche del naufragio y de los náufragos" are points of reference in the story which, in spite of a simple appearance, may involve "más cosas que las que estamos viendo" (76). When Antica the wireless operator fails to decode a message transmitted during a *real* storm, her situation mirrors exactly the reader's frustrated attempts to interpret the meaning of the fictional storm which is both a central, "objective" event in the story and a key motif in the novel's symbolic "code": "Antica se siente incapaz de interpretar lo que vagamente llega envuelto en el delirio de la tormenta" (44). The reader must consequently accept this incompleteness with skeptical reservations, and would do best to assume an attitude of suspicion, like that held by the narrator (76), or the incredulity of those islanders who have not actually witnessed the Americans' stay: "Los ausentes son difícilmente crédulos y ante las historias de los viejos no habrá ni estupefacción ni envidia, sino una escéptica aceptación de lo contado" (105).

The opaque meaning, "vagamente envuelto," of the narrator's stormy existence is a paradigm of polyvalence. He may be seen as a victim of existential aliention, baffled by absurdity: "todo es demasiado vago. ¿Tengo alguna razón? ¿Por qué y de qué? No, no sabría decírmelo" (35). Bearing in mind his familiarity with city life —cf. his comparing the aroma of baked fish in an island tavern with the "quemazón de otoñada en parques de la ciudad" (23), and his being unaccustomed to retiring early for the night (15)—, the narrator may also be seen as a refugee from the pressures of urban civilization. In addition to such psychological considerations, a definite moral factor appears to be at the root of his malaise. After an excessive bout of drinking he sophistically exclaims: "No quiero acordarme de lo que pasó anoche, porque si no me acuerdo no ha existido ni existirá para desasosegarme y envilecerme...Bien, no ha sido otra cosa que un exceso, no cometido desde hace algún tiempo, pero siempre temido y capaz de renovar vergüenzas retrospectivas" (102–103). There is even a hint of some criminal behaviour in the narrator's past, when he discusses the Americans' attempt to explain how they managed to sail their boat to destruction on the island's shores: "Si se vuelve al lugar del crimen, ¿por qué no se ha de volver al lugar del accidente?...Y si como sospecho...la pueril embriaguez, más tarde diabólica, ocultaba más cosas que las que estamos viendo y hemos sabido, ¿qué decir o qué opinar? Y la culpa, ¿cómo repartirla?" (76–77). And finally, a number of references to war, an outstanding example of which are the narrator's words: "el gran temporal de la guerra, a manera de metáfora" (72) (see also pp. 11, 106 and 132), suggest some political motive behind his temporary stay on the island. All of these interpretations appear possible, yet none of them is, either separately or in combination, more than an imperfect approximation towards an explanation of the novel's enigma. Such is the abstract complexity and deliberate polysemy of *Parte de una historia*.

Fourth, *Parte de una historia* includes some *indirect* reflexive references to the real events: shipwreck, drunken orgy and drowning, which make up its own plot. On only the second page of the novel one of the islanders, Casimiro, "ha querido contar algo gracioso y ha hablado de alguien que estuvo buscando el tesoro del pirata por la playa de La Conchas y no hizo otra cosa que emborracharse'' (8). This is a partial pre-figuring of the *chonis'* story. Similarly, the success and popularity which the adroit Gary enjoys with women —''es hombre de mucho saber en el asunto'' (109)— is reflected in the stories told by el señor Mateo, ''de valientes tabernarios, de donjuanes épicos'' (137). And in chapter 19 Roque, a devotee of story-telling, ''alarga la sobremesa contando historias relacionadas con el mar, historias foráneas de muertos y de ahogados, arrastres de redes en las que salían prendidos cadáveres durante la gran guerra pasada'' (195), as if unaware of the horrible coincidence of these tales with the facts of the foreigners' experience on the island.

Fifth, some statements are made which allude *directly* to the primary text, Aldecoa's novel itself. The narrator comments in a transparent, ironic fashion on the suitability of certain facts: ''una tripulación de bebedores, supervivientes del naufragio'' (105), for transformation into narrative fiction, and then in chapter 20 gives an explicit evaluation of the very story he has been telling: ''Es el final de esta historia. Una historia con mal fin que cuando sea contada se perderá en el tiempo, como arrancada de la memoria, o tendrá la tangibilidad y perfiles del presente o de la inmediata víspera, fulgurando con la luz siniestra del naufragio y de la muerte en el carnaval'' (202). On another occasion the narrator acknowledges the limitations of his own account, confessing that his attempts to construct Jerry's biography, the main strand, that is, of the anecdote or story-line of *Parte de una historia,* may collapse into fantasy: ''Un rostro y una edad calculada,'' he realizes whilst looking at Jerry, ''sirven para fantasear una psicología...para luego viviseccionar esa psicología y hacerlo hasta la fatiga, probablemente construyendo una gran calumnia, es decir, otro ser'' (72).

Such reflexive comments draw attention, with varying degrees of directness, to the complex manner in which meaning is conveyed in the narrative of *Parte de una historia.* Any attempt to make sense of the novel cannot fail to take into consideration the prominence of the narrator's structural role. For it is he who opens and closes the text, making of it a hermetic unit which *se muerde la cola,* and it is through him alone that the novel's material is mediated. The narrator also exemplifies that ''certain indirect and oblique view'' defined in one of Henry James' notable prefaces.[7] He refers to his position in the fictional structure as that of ''[uno] que distanciado observa, intuye, enmascara, inventa o recrea'' (72). Charged with giving an account of the reality to which he is witness, he first converts into a verbal series the sequence of mental impressions he draws from experience, and then expresses this structure through the quasi-spoken form of the narrative and in the written form of a typescript (mentioned on p. 37).

The substance of the narrator's account is conditioned as much by his style as by the strategic nature of the position he occupies in the novel's structure. He ''covers up,'' ''invents,'' or ''recreates'' situations (72) through the decisive manner in which he uses language. The narrator is, of course, Aldecoa's *alter ego,* and the patently literary fashion in which he often expresses himself is a consequence of that psychological and aesthetic relation. Yet he is also a fictional character, although his role as spectator and reporter prevails over that of protagonist or participant in the action. He is thus relatively free to think and write as he chooses. Certain rhetorical aspects of his style deserve comment. The narrator uses metaphor when, for example, he talks of the storm that has landed the Americans on the island. This storm, he says, fascinates him more than ''todos los temporales del mundo —del que no excluyo el gran temporal de la guerra, a manera de metáfora—'' (72). He also interprets a specific situation, for instance, his isolation in the sand dunes, in symbolic terms: ''Y desde la duna de la fardela divido dos mundos: uno a mis espaldas, el del pueblo, y otro frente a mí, el del barco. Estas dos consecuencias no son únicamente imágenes proyectadas de lo organizado, firme, vital, y de lo desorganizado, anárquico y mortuorio, sino símbolos contrapuestos y enemigos, entre los que está mi debate'' (64–65).

The narrator sometimes complicates or adorns the truth by mythologizing facts. For example, he describes the *chonis* and some of the islanders as archetypal figures reenacting tragic events of Greek theater. Of the Americans he writes: ''Ya conozco sus nombres. Jerry o el hombre de la playa, teatralmente recién nacido de la mar, pordiosero Ulises en la arena de Las Conchas. Boby o el hombre de la litera. Beatrice o la mujer caída. Gary o el hombre de la mano rota'' (71). On another occasion he writes in heroic terms of Gary's test of strength with el señor Mateo: ''Ambos son altos y alzan las copas más arriba de sus cabezas, buscando un nimbo de gloria en las fulguraciones del licor. Gary es un centurión y el señor Mateo un santo de imaginería de aldea'' (92). And he uses the word ''coro'' to describe the social groups the islanders form, as on the occasion when ''las mujeres de la isla, tal que un coro acusador'' (136) congregate to gossip about the Americans' disgraceful behaviour in the party referred to in chapter 14.

Embellishment or overstatement, then, are common features of the narrator's story-telling technique. Yet he also tends towards understatement and his style consequently becomes cryptic, illustrating his own prescription that ''Las palabras deben disimular'' (11). The narrator is an enigmatic character who jealously preserves his anonymity, refusing to show his readers even the minimal grammatical sign of identification: an initial, the label attached to the protagonists of certain novels by Kafka, Beckett or Robbe-Grillet. From the beginning of *Parte de una historia* the reader senses that the narrator is deliberately and artifically withholding information. He is evidently well-known to the islanders, but his past and the foundations of that acquaintance remain a mystery. There is a clear suggestion of something suspicious in the narrator's relations with, among other people, Luisita, ''[cuyos] ojos me interrogan desde su amarga lejanía: ¿Por qué has venido? ¿A qué has venido donde nada hay? ¿Qué buscas?'' (10). These and many other questions remain unanswered throughout the novel's 211 pages.

Some of the remarks this secretive intermediary makes about other people's speech may nevertheless serve as definitions by analogy of his own verbal technique. Enedina comments laconically on the *chonis'* departure, "dejando algo en suspenso, que es para mí el hurtado fruto de su opinion" (213); when he sees Beatrice talking to David, the narrator compares the conversation with "un mosaico que tuviera lagunas de teselas perdidas" (74); and his account of the sailors' reaction to a storm mirrors his own use of language: "Hay miedo en todos los hombres y todas las palabras tienden a alejarlo" (40). Such passages describe the way in which the narrator uses words to cultivate ambiguity, by distorting, stylizing and concealing.

This deception is a measure of the underlying self-interest of a character who is both narrator and quasi-protagonist in the novel. He is an independent individual who for some unstated reason has sought refuge on the island, and composes a narrative about the life there. But the story he tells is intimately linked to his personal existence. In his case, narrative and real experience overlap, and fuse in a type of literal "biography" (see pp. 72 and 74). The term "historia," prominent both in the novel's title and throughout the text, also indicates the coexistence of language and life. Jerry's "story" in his life, an "historia vivida" (183), and so is the narrator's, as he recognizes in a rare confessional moment: "Aquí en esta isla y en esta mañana bruñida, comienzo a comprenderme distanciado de la imagen que tengo de mí, allá, lejos, como en una historia sucedida a otro." "Apacible y enmimismado," he continues, "siento transcurrir años náufragos, meses delirantes, semanas llenas de gemas empolvadas, días de estiércol y aun horas, minutos, segundos, milésimas de segundos o simples fulguraciones de mi vida, que no sé si alcanzan a ser contadas en tiempo" (64). Perhaps the most telling example of this ideal equivalence between language and existence is the description of the shepherd-girl, "nacida para monologar desparramando los días de mano a mano en puñados de arena por el breve desierto de esta isla, caligrafiando con su varilla las horas muertas del pasturaje..." (24). This is a crucial analogy with the narrator's own life for he, like the shepherd-girl, expresses himself in an extended first person narration, or monologue, and kills time by writing, or "caligrafiando." Yet there is a fundamental and significant difference between the two cases. The girl draws, or writes, no more than a pattern in the sand, whereas he actually prints words on paper. Since words are meaningful linguistic signs, the reader expects to extract some semantic value from the pattern of the narrative, and hopes to use this information in order to acquire some insight into first, the narrator's mysterious personality and second, the possible meaning of the text he produces.

In the light of this conclusion, it is possible to identify the underlying technical principle upon which the novel is constructed. The language of the narrative has both a representational and reflexive function. The narrator refers to certain "datos objetivos": a social situation, a geographical setting, a number of characters, and a sequence of "actual" events. But his own narrative is qualified by the stories it includes, every one of which, with its characters and events, relates reflexively to the main narrative, so that the novel acquires the organic quality of a coherent whole

56

built of many similar parts. Furthermore, through the technique of interior reduplication Aldecoa indicates the existence, within the introverted text, of an absent but "real" "metafiction," a hidden treasure, a figure in the carpet. The mimetic function of language is thereby qualified and complemented by a poetic technique of narration which requires that the reader approach *Parte de una historia* "Como si leer fuera algo enigmático" (163).

Robin W. Fiddian
University College
Galway, Republic of Ireland

NOTES

1. Included in *Ensayos sobre literatura social* (Madrid, 1971).

2. "Nueva lectura de Ignacio Aldecoa," *ABC*, December 2, 1973, p. 13.

3. *El fulgor y la sangre* was first published in 1954; examples of interior reduplication appear on pp. 81–83 of the 3rd edition (Barcelona: Planeta, 1970). *Gran Sol* first appeared in 1957; Ventura's predilection is mentioned on pp. 40 and 145, for example, of the 3rd edition (Barcelona: Noguer, 1969).

4. Reference will be made throughout to the second edition of *Parte de una historia* (Barcelona: Noguer, 1973). The novel was first published in 1967. Before his death in November, 1969, Aldecoa announced the forthcoming appearance of a fifth novel, *Años de crisálida*, which is still unpublished.

5. With playful secrecy, Aldecoa intimated to José Julio Perlado that the island in question *might* be La Graciosa in the Canaries (J. J. Perlado, "Ignacio Aldecoa escribe *Parte de una historia*," *El Alcázar*, May 5, 1967, p. 21). He visited the Canary Islands on two recorded occasions, in late January and February, 1957, and in February and March, 1961. During the latter trip he spent some three weeks on La Graciosa which was a pastoral retreat for him. Gregorio Salvador has studied the fictional representation of the island in *Parte de una historia*, in his article "La Palma y La Graciosa, sustancias novelescas," included in *Homenaje a Elías Serra Ráfols*, III (1973), 297–314.

6. I have interpreted this novel as an expression of the pastoral theme in a study entitled "Urban Man and the Pastoral Illusion in Ignacio Aldecoa's *Parte de una historia*," published in *Revista de Estudios Hispánicos*, IX, 3 (October 1975), pp. 265–266.

7. See *The Golden Bowl* (1904). The preface is cited by Miriam Allott in *Novelists on the Novel* (London, 1965), pp. 265–266.

8. "The Figure in the Carpet," in *The Complete Tales of Henry James*, ed. León Edel (London, 1964), vol. IX (1892–1898), 313.

9. *Poétique de la prose* (Paris, 19711), p. 153.

10. This sentence is quoted from Roland Barthes' *Critique et vérité* (Paris, 1966), p. 70.

11. In certain respects *Parte de una historia* resembles Sánchez Ferlosio's *El Jarama*. In both works a banal story-line relates the temporary interruption of a simple community's routine existence when a visitor or social outsider is drowned. A poetic structure is built around this simple framework. The metaphorical motifs of the theater and cinema, and themes such as fate, time and the contrast of city to country life, are also common to both novels.

IGNACIO ALDECOA AND THE
JOURNEY TO PARADISE
(THE SHORT STORIES)

By

James H. Abbott

Ignacio Aldecoa's short stories gain their primary unity through the theme of the traveller whose journey, like that of the traditional traveller in mythology and folklore, leads him in search of paradise. The plans, hopes, aspirations, and frustrations of the characters in at least thirty-three of the sixty-eight short stories collected in the *Cuentos completos* are related directly to journeys, travel, and a search for a better life. Some characters choose travel as a permanent way of life while others, paradoxically, are expelled from their paradise and are forced to seek an alternative. Among those who remain at home, some regret that they will never be able to search for a symbolic paradise while others take compensatory journeys in their imagination. Characters whose work requires prolonged journeys or daily excursions, as well as migratory workers who go from town to town in a perpetual journey, also hope to reach their Eden. Tourists search for ideal situations and momentary escape from the limitations of social mores only to find boredom and conflict even in places especially designed as a refuge. They then move on to continue their search like restless epic heroes.

Although these travellers follow traditional patterns, they live and work in a twentieth century world with the traditional corruptions, injustices and inequities. Aldecoa combines the two elements, traveller and modern society, to imply, at times, a kind of social protest or a desire for a society where paradise is accessible to all its members.

The story of one day's work in a railroad engineer's career is the subject of "Santa Olaja de acero" in which Aldecoa depicts, symbolically, the traveller's journey through life. The account begins as Higinio leaves his bed before sunrise to dress and go to the railroad yards to board his locomotive, personified as Santa Olaja. As he emerges from darkness into light, creation begins, to be completed

59

only when he boards the train. Aldecoa mentions that he seems to remain asleep "hasta que estaba en la máquina, junto a la boca de fuego."[1] Santa Olaja also comes to life at the first light of day with her breakfast of *jarabe,* a shovel of coal dust and water. During their day's work, Higinio and his fireman, Mendaña, narrowly escape catastrophe and death in a near-accident which Santa Olaja avoids because of her protective strength. At the end of the day Higinio returns to the railroad yard after dark, leaves the train on a *vía muerta* in the rain and, once at home, gets into bed again and closes his eyes, thus completing the cycle of life, emerging from darkness into light and creation to return again to night and sleep. Three elements combine to depict the life cycle in the story of birth, creation, and death with the consequent rebirth when day comes again. First the transition from night or darkness, from which light traditionally emerges as creation or birth, then the existence of creation which leads inevitably to death or darkness with its promise of resurrection in nature's cycle. Higinio comments on nature when he and Mendaña discuss migratory birds, "La Naturaleza es muy sabia..." and Mendaña replies, "Y tanto. Ya quisiéramos nosotros ser como la Naturaleza" (II, 14). Higinio's emergence from darkness, his awakening only when he boards the engine to begin his travel, and the return home after dark in the rain to sleep, or symbolic death, complete the day and the life cycle. The return home, to the birth place or motherland, associated with death, is combined with rain which promises fertilization and resurrection and, thus, a continuing search for paradise in a continuing journey or cycle. Aldecoa, in a one-day work trip, summarizes the journey through life, including the promise and hope for rebirth.

Men whose work is associated with travel also include truck drivers, like those in "En el kilómetro 400." Severiano Anchorena and Luisón María drive at night from Pasajes to Madrid with a six-ton load of fish and ice. Because of age, fatigue and illness, two of their friends in another truck have an accident in which one of them is seriously injured. Anchorena and Luisón, however, after learning that both friends have been taken to Madrid, continue their night's work. Their arrival in Madrid offers sleep and a new assignment to continue their journey, poorly paid and constantly in danger. Luisón thinks, "Frío, calor, daba igual. Dormir o no dormir, daba igual. Les pagaban para que, con frío o calor, con sueño o sin sueño, estuvieran en la carretera. Mal oficio" (I, 83). Nevertheless, the story ends, "Luisón y Severiano tenían los ojos en la carretera" (I, 88). The drivers' endless journey working for a better life may bring disillusion, "A los cuarenta años, en dos horas de camión, la tiritera. A los cincuenta, un glorioso arrastre al taller, contando con la suerte. Al taller con los motores deshechos, con las cubiertas gastadas, con los chismes de mal arreglo" (I, 83). Like restless and searching heroes, however, they continue the journey with hope for something better.

In addition to travellers who work primarily on land, fishermen and sailors whose voyages, treated more amply in the novel *Gran sol,* are also related symbolically to more vital themes. The sea is traditionally related to movement, the universal, and the duality of life, since the sun sinks into the ocean at night but is reborn from it in the morning. In "Rol de ocaso" Aldecoa creates the atmosphere of life on board the *Ispaster* as it weighs anchor, makes its final voyage through a storm, and returns to port for retirement, or death. Even before the damaging effects of the storm, the owner had already decided "...que el *Ispaster* entrara a morir en dique en los comienzos del otoño (I, 56). The sea, although it means death for the ship, provides for the crew's continuing voyages. After the storm they return to port; Aldecoa says, "La tripulación iba de visita y de resurrección" (I, 68). The sea and the ship thus transcend the surface of the story's regional atmosphere and represent the ambivalent nature of the sea as death and as life. The material dies but the creative force lives on, offering resurrection to the voyagers.

The sea as a vital attraction to a young boy who aspires to become a member of the crew on a fishing boat is the principal theme of "Entre el cielo y el mar." Pedro, an apprentice fisherman, dreams of the day when he can go to the sea instead of helping only on the beach. After having been promised a job on a good ship where he will become a fisherman, he contemplates the water, one of the four elements of the universe and a giver of life. He will become a fisherman, a profession with biblical and cosmic connotations. Pedro's voyage to a more satisfactory life begins on earth and leads to the ocean, his symbolic paradise.

Fishermen, with the biblical connotations of fishing for souls, are at time part of the tourist attractions on islands like Ibiza, where Aldecoa had a summer home. In "La noche de los grandes peces" three young men, affected and frivolous, spend the night helping and observing on a local fishing boat. They eat, drink, take pictures, and help with the routine chores until morning when they all return to the island. Their contact with a situation that allows little frivolity or affection has a sobering effect on them, and for a few hours they escape from their role in society; the professional fishermen gradually accept the three tourists, and the relationship effects a kind of resurrection in all of them. The darkness gives birth to day and to a new insight into life for all who had made the trip, thus a voyage and observation are combined to lead to a new perspective or goal.

Travel to attain a goal is also an integral part of migratory workers' lives since they must go from place to place to earn a living in an attempt to attain a more comfortable position in society. In "El corazón y otros frutos amargos," Juan Montilla López gets off the train in a small village, works for two days on a farm, and then leaves by train with other laborers to search for a better life. As he arrives in the village he experiences a fear "común a los recién llegados a alguna parte" (I, 90). The high, white, and sad walls of the village remind him of cemeteries, bull rings, and jails; the big doors, all closed to him, exclude him in his helplessness. His anonimity is stressed when the foreman says, "Te llamaré el de Barbarroja, así no tengo que pensar en tu nombre (I, 91). As he and his companions leave, they comment on an *abubilla*, a bird known in local folklore for its habit of alighting to erase all footprints, leaving no trace of itself or others. Juan leaves the same way, without a trace but with the hope of finding a better life, a symbolic paradise.

The hope of migratory workers, as of all travellers, is a saving virtue of those who must be on a perpetual journey. Aldecoa expresses this hope directly in "Seguir de pobres" when he writes of a group of migratory reapers, "anda por la carretera de los grandes camiones y los automóviles de lujo en fila, en silencio, en oración —terrible oración— de esperanza" (I, 26). Because of an illness Pablo stays in bed until the harvest is gathered, and then the landowner forces him to leave with the other workers. Since he is barely able to walk, they give him a little money and he sets out for a hospital while the others continue their journey and their search.

Itinerant bullfighters, like migratory workers, hope to be able some day to settle down, as one of them says in "Los pozos," "¿Tú sabes lo que es bueno, Perucho?... Quedarse en casa. Ni ansias, ni varices, ni canguelo, sopa de ajo" (I, 146). With old costumes, worn shoes, and poor swords for the matador, the team endures the hardship of dressing in town halls, which, as one remarks, "huelen a muerto" (I, 145). In spite of the poor pay, they keep working, travelling from village to village as they grow older, hoping restlessly to find their garden of Eden.

The travellers' search for paradise is especially evident in the stories which Alicia Bleiberg groups under the heading *El éxodo rural a la gran ciudad*. Families who come to the city, Madrid, in search of a better life usually find disappointment, frustration, and more poverty. Their journey often takes them away from the city to continue searching, or they return home, giving up the search. One of Aldecoa's most direct statements concerning the search for paradise is "Solar del Paraíso" in which three generations of a family have already adjusted to their way of life. Although they live in a *chabola* built of waste materials, they eat and live without complaining. Ramón and his wife, Agustina, work enough to support their three children and his parents, Pío and María. Pío, the grandfather figure whose age is traditionally associated with wisdom, talks of the possibilities of the family moving to a new work project where wages are good, housing is furnished and there are other fringe benefits. Before they reach a decision, however, a flood destroys their house, but, as in Noah's ark, everybody survives, including the household animals. Floods in folklore and mythology generally destroy material things but leave the possibilities of resurrection and rebirth, since creative forces survive. Just as the family is about to begin rebuilding, the owner of the property evicts them to use the land for a new development. Their material resources are gone but the possibility, attractive to Pío, of moving to La Cañada with all its advantages seems like a journey to heaven. In spite of his hopes and plans Pío realizes, once they are in La Cañada, that paradise is the place where they were, and he wants desperately to return to his garden of Eden which Aldecoa relates to the biblical paradise.

> Aquí en La Cañada siente la soledad, el silencio del campo y sufre. Porque él sabe que en el primer Paraíso, que gozó el hombre, no hubo ni soledad ni silencio; sabe que soledad y silencio, al fin hombre de la ciudad,

son dolor, tristeza, desgarramiento. Su paraíso, su solar, sin soledad y sin silencio era, sin embargo, un apartado, en el que no cabía el medio conturbador que le rodeaba.

...Pío perdió el paraíso, interpolado entre dos altas casas. Pío fue avisado por una tormenta y arrojado por la ira sin límites del negocio. Fue expulsado sin culpa, sin reconocer el árbol de la culpa en el triste arbolillo estepario que crecía en medio de su paraíso. Y Pío, como debió sentir el primer hombre, siente que de él se apodera la nostalgia que le otoña el corazón y le borra la mirada. Y Pío, como el primer hombre, necesita soñar que algún día ha de volver (II, 258).

The women, however, believe that they have truly found something better. When Pío complains, María assures him, "Aquí viviremos mejor" (II, 258), and Agustina, the daughter-in-law, comments, "Esto es un paraíso, chico, un verdadero paraíso" (II, 259). Pío still remembers his paradise and longs to go back. He cries and dreams of returning, and although he leads his people to the promised land, he is never able to share their experience. The exodus after the flood leads to a new environment of improved material facilities which María and Agustina equate with paradise.

Others who come to the city hoping to improve their lot actually are worse off. In "A ti no te enterramos" Valentín, the tubercular son of farmers, decides, after months of treatment at home, that he is a burden to his family because he is unable to do heavy farm work. He convinces his parents, Salvador and Berta, that in the city he can find light work to support himself and relieve them of his care. After a few frustrating days in the city, still coughing blood but optimistic, he decides to go home again, his travels and search leading not to paradise as he expected but to a return home, a symbolic death of his spirit as it is reintegrated into the family spirit.

Martín and Prudencia, in "Al otro lado," experience a similar situation in the city. They live in a *chabola* across the river, but Martín fails to find work. After seeing a neighbor begging in the street, he decides that they must go back to their village, the return home implying again a spiritual death. "Nos tenemos que volver," he repeats in frustration (I, 281) as though trying to convince himself that he must go home again to search for his paradise in a different way. Others leave the city in frustration, not to go home but to go to other places seeking a better life. Mercedes Gomera Ruiz, in "Tras la última parada," is the subject of the story although she appears only briefly at a distance and has no active part in the plot development. A man from the city comes to tell her father that her papers are in order for her trip to America, her hope of a symbolic paradise. Her father, however, will go home again, "Yo me vuelvo al pueblo con mi hermano. Siempre habrá una cama y una sopa hasta que me muera. A mí la tierra me tira mucho, y, además, yo no soy más que un estorbo...Allá en las Américas, tengo dos hijos. Viven muy bien, eso dicen..." (I, 286). While Mercedes Gomera Ruiz's determination, hope, and dynamic attitude lead her to keep searching, other characteres, like Manolo in

"Esperando el otoño," avoid the search by remaining forever in a state of anticipation. Every fall he plans to leave for a better life in America, but his friends in local taverns know that he never will. Because he lacks the dynamic motivation of other characters, he cannot participate in the search. Some characters, on the other hand, find their reward simply because they are poor in spirit, like Pedro Lloros in "Los bienaventurados," a story with biblical connotations. A wanderer without a home, he sleeps under bridges or in the woods with his friends until the Guardia Civil finds them burying stolen scrap metal and they go to jail. Pedro Lloros is overcome with happiness since now he will at least have a place to spend the winter. Somewhat humorously and pathetically, his paradise is the jail.

Not all of Aldecoa's characters are dynamic enough to make repeated efforts and therefore they must compromise with their hopes. José Fernández Loinaga, in "Quería dormir en paz," finds the frustration of poverty and the tragedy of his child's death. His search for peace in the city leads only to disillusionment and defeat; the city offers nothing, and he has no access to paradise. "La chica de la glorieta" finds no help in the city, and her efforts to survive lead her to a life of prostitution. Ironically, her idea of good luck is being picked up by a group of young men in a Seat.

Aldecoa implies that society closes the doors to paradise for many people who, without guilt, must suffer exclusion or expulsion. Society excludes Omicrón Rodríguez, an itinerant black photographer in "Un cuento de reyes," from any kind of paradise except during the annual parade of the Three Wise Men when he rides as Baltasar. Through no fault of his own, Omicrón Rodríguez's journey can lead him only to a pretense of paradise, not to his goals of enough to eat and clothes to wear.

Journeys and travel are not always limited to the poorer working classes in Aldecoa's stories. Wealthy tourists, beatniks, and hippies flock to beaches and resort areas hoping to find some satisfactory way of life even if it is temporary. In "Ave del Paraíso" Aldecoa makes another concrete statement about journeys and the search for paradise. El Rey, after a petty quarrel, organizes a going-away party for himself and announces, when he is realeased from jail, that he is going to Portofino as a simple sailor and then to Paraíso. "De Portofino al garete o al Paraíso del Sur" (II, 363). When his friends ask him if he is not afraid that his plans may not work out, he replies, "¡Qué planes! ¡Qué fallos!...No he hecho planes, no puede haber fallos. Simplemente voy al Paraíso" (II, 363). He is leaving, he says, because he is tired and has been on the island too long. The drinking, the women, a life of parties and freedom from traditional morality do not satisfy El Rey, and he travels again to search for paradise. Since Aldecoa claims to remove the story from everyday reality (epigraph, II, 330), the symbolic search is even more evident than in other stories. People who hope to journey to paradise by going to Ibiza or other resort areas are just as disillusioned as the poor who find no work. The doors to paradise are frequently closed to the wealthy because they exclude themselves by looking in the wrong places. Nevertheless, their travels and their search are similar to those of the poor. Ruth, in ''Al margen,'' and her friend Luis are both victims of their own hopes to find satisfaction in a life of travel among the international jet-set. They go to bars and parties but nothing relieves their boredom. They seem to be condemned to perpetual tedium in spite of their money and leisure time.

While travel or movement from place to place is constant in many of Aldecoa's characters, others cannot travel or search, either because they choose not to or because the opportunity is not available to them. Miguel, in ''Camino del limbo,'' remains in limbo, without ever reaching paradise, while his friend goes to study in the University. Miguel stays in a small town which ''cierra el camino a las acciones y abre el de los sueños. Pasarán los años y ni los sueños quedarán'' (I, 131). He later says, ''Pensaba haber sido otro. Ir. Andar. Volver. Ya no.'' (I, 132) regretting that he chose not to leave, not to search. The opposite situation is the central point of ''La urraca cruza la carretera,'' a sketch of laborers during a rest period. They work at keeping the highways in good condition so that others can travel, but because of their low wages, they can only observe. When a car of wealthy people passes by, one of the laborers says, ''Estaría uno toda la vida de aquí para allá, con ese coche ...uno no tendría que pensar en los garbanzos. Uno sabría echarle lo suyo...Uno —añadió una barbaridad—, uno —repitió— es una porquería sin remedio. Está uno aquí peor que una piedra para que esa gente...'' (I, 71). Denied the opportunity to search, the workmen cannot go beyond their own jobs. They see what seems like a promised land but they cannot enter because it is not acessible to laborers.

While many of Aldecoa's characters travel as a means to an end, a way of reaching a goal, others deliberately choose the endless journey as an end in itself. Margarita and Enrique, in ''Crónica de los novios del ferial,'' are dancers who travel with carnival tent shows. After a brief engagement dancing in a permanent theatre, they return to the side shows because ''Eran de la feria y vivían para ella'' (I, 109). ''Se volvieron al jaleo, al barullo...'' (II, 110).

Travelling performers are also the pretext for the structure of ''Pájaros y espantapájaros,'' a fantasy with the tone of a medieval fable. Four wanderers, whom Aldecoa calls ''juglares venturosos, andarines, cardinales y locos'' (I, 336), meet in the *Venta de Paja,* eat, sleep, and dream. One dreams of the *murciélago azul,* symbol of good fortune; another dreams of a beautiful girl in the moon; the third dreams of a life inside an emerald, while the fourth dreams of talking to his fingers as a way of dispelling loneliness. When the four awake, three of them leave on a train while the fourth stays behind, assimilating all four dreams into one. The *juglares* never meet again; each one pursues his dream or paradise, in his own way but, as Aldecoa says, ''se sabe que no harán fortuna, que el juglar nunca la tuvo ni la necesitó'' (I, 343).

The theme of a travelling performer who is also an itinerant worker is the subject of ''Un artista llamado Faisán,'' the story of a wandering boot-black who performs as actor or singer for his customers and works intermittently at various other jobs. His travels end in the hospital where he dies after being moved to the room which Aldecoa says is the "estación de espera para el coche de la muerte" (I, 136). Aldecoa describes death here in terms of a journey or travel, and the reader assumes that Faisán, poor in spirit, will go to paradise as a reward for a life of hardships and deprivations.

While many of the characters in Aldecoa's short stories actually are involved in physical movement or travel, some of them, like Clara and Eusebio in "La vuelta al mundo," travel only in their imagination. During a game of parchis they talk of travels to various parts of the world, but as the story ends, the reader realizes that perhaps they are somewhat divorced from reality. Nevertheless, they engage in imagined travels which offer them an escape or consolation in a fabricated paradise in their own apartment.

In addition to the principal characters who are actively engaged in journeys, there are other protagonists who travel only incidentally, and secondary characters whose activities are related to travel or movement from place to place. The protagonist of "Young Sánchez," for example, aspires to a life as a professional boxer. His big opportunity comes when he is offered a chance to fight in Valencia and he makes the trip which he hopes will lead to the fulfillment of his ambition, his symbolic paradise. El Remedios, a secondary character in "El Mercado," takes to the life of a *trapero* and rides a cart collecting garbage. His salvation and stability come when he realizes that his work gives him status and a sense of pride. Although his travels are not extensive, he reaches his goal riding through Madrid as a garbage collector.

Travel as a deliberate activity motivated by the desire to improve one's life or find an ideal situation is paramount in many of Aldecoa's stories, but the rootless and homeless, forced to lead a life of uncertainty, are also involved in random and erratic journeys. In two stories, "La humilde vida de Sebastián Zafra" and "Chico de Madrid," homeless children who live under bridges or sleep wherever they can, roaming the streets and the nearby forests, eventually meet their deaths in their search for survival. Sebastián, after reaching adulthood, is killed gathering scrap metal when a grenade explodes in his hand. Aldecoa ends the story, "Hacia los altos nidos de las nieves, en las montañas lejanas seguían las nubes, y con ellas el humilde, vago y tierno Sebastián Zafra. Y nadie más" (II, 280). Chico de Madrid roams the streets, the riverbed and vacant lots, hunting sparrows and frogs, and begging. When he decides to hunt rats in the drainage pipes, he falls victim to typhus, goes home to his mother and dies. The double significance of rats and returning home, both associated with death, foreshadow Chico's own death, and his paradise comes only then, as Aldecoa says, "...el tifus que lo llevó a los cazaderos eternos, donde es difícil que entren los que no sean como él, buenos, como él, pobres, y como él, de alma incorruptible" (I, 354). The two children, then, after a life of aimless wandering without any apparent goal other than day to day survival, make their final journey to paradise in another world, like other *bienaventurados*.

The rootless and homeless children have their counterpart in older people whose rootlessness leads them to search for their ideals. Lorenza Ríos, in "La Nostalgia de Lorenza Ríos," leaves her native Yucatán to accompany the father of her three children to Spain. Her son becomes a sailor who never returns home; the children's father dies; the two daughters marry and later die, leaving Lorenza Ríos alone. She decides to return to Yucatán, her birthplace, "Lorenza Ríos se fue a morir mirando su bahía...donde la muerte duele más, y el alma vuela mucho tiempo a ras de tierra, sin quererse despegar hasta que remonta el vuelo" (I, 398). Her travels eventually lead her home again to the paradise she had abandoned, and to death.

Travel leads not only to paradise and a return home, but also to separation and solitude. In "La despedida" Juan leaves by train for an operation in Madrid while his wife, María, waves and gives advice from the station platform. Their first separation creates solitude as Juan makes a journey to recover his health, perhaps a means of eventually returning to paradise. The plight of Roque in "Muy de mañana" is more pessimistic since his wanderings as a melon vender lead only to solitude. His lone companion is his dog, Cartucho, who sleeps in the melon straw with Roque under an old military blanket and provides his only emotional stability until a car kills Cartucho in the street. Roque is left to wander through life alone. The doors to paradise are closed to him in spite of his endless journey.

Endless journeys of searching form a contrast to the short bus trip in "El autobús de las 7,40." A young soldier leaves his army base to go to Madrid. Two prostitutes, an older woman, a child on his way to school, and a young man with shiny shoes make the trip. The soldier, timid and shy, is frightened when the two prostitutes make advances to him as they wait for the bus, and although he would like to be part of the passenger group, he feels isolated and too awkward to join in any conversation. The microcosm of society casts him in the role of an uncomfortable outsider until the group dissolves in Madrid and he loses himself in the crowds. Fleeing from an unfriendly situation, he may regain some of his self confidence, although Aldecoa suggests nothing specific or concrete. The other passengers hurry away to accomplish their mission in the city to catch the bus on the return trip later that day.

The streets of Madrid are the setting for "Aprendiz de cobrador," the story of Leocadio Varela who travels on street cars learning to collect fares and punch tickets. His ambition is to be a cobrador and move about the city, a journey that begins and ends daily with the immediate purpose of providing a living wage. After an evening celebration and intimacy with his girl friend, Leocadio goes to work the following morning with a more serious attitude. Aldecoa implies that either his illusions are destroyed or that he plans to be married soon. Regardless of which conclusion the reader chooses, Leocadio will keep riding, searching, like many travellers, for some undefined paradise.

While almost half of the short stories in the *Cuentos completos* are related directly to journeys, travel, and a search for a better life, other stories involve short, incidental trips, talk about distant places, and attempts to solve problems through action, analysis or observation, an element common to most fiction. Aldecoa's works are distinguished, however, by the predominant pattern of the journey which leads to some kind of paradise. In at least two stories "Solar del Paraíso" and "Ave del Paraíso," he writes specifically and directly of paradise, using vocabulary, biblical allusions, and explanations which confirm the pattern he establishes in other stories. The variety of style and tone ranges from sad and brooding to humorous and fantastic; the plots range from brief sketches to double and parallel development, but the basic pattern of the journey remains predominant. His frequent allusions to symbols rooted in primitive folklore and mythology, like darkness and light, rain, the sea, ships, the return home, and wanderers, reinforce the basic tone and style. His protest against closing doors to paradise leaves the impression that the composite of Aldecoa's stories is itself a journey to paradise, his expression of a search for a place where all of humanity can be included.

James H. Abbott
University of Oklahoma
Norman, Oklahoma

NOTES

1. Ignacio Aldecoa, *Cuentos completos,* 2 vols., recopilación y notas de Alicia Bleiberg (Madrid: Alianza, 1971), II, 10. All subsequent quotations are from this edition. Roman numerals indicate the volume, arabic numerals, the page.

ESTRUCTURA Y SENTIDO DE "SANTA OLAJA DE ACERO"

Por

H. Esteban Soler

Originariamente el cuento fue publicado en *El Español* el 26 de diciembre de 1954, por los días de la irrupción pública del primer grupo de escritores del Medio Siglo a la que *El fulgor y la sangre* de I. Aldecoa contribuyó muy destacadamente.[1] Tan cercano a esta novela en técnica y temática —salvando las distancias lógicas impuestas por los géneros—, ''Santa Olaja de acero'' constituye un ejemplo magnífico, en el marco del relato breve, del quehacer de su autor y del neorrealismo literario en España. Las páginas que siguen intentan demostrar ambos puntos, si bien al primero lo avala ya en cierta medida su elección —años después de formar parte de *Vísperas del silencio* (1.955)—, para encabezar y dar título a la hasta hoy mejor antología de los cuentos de Aldecoa, *Santa Olaja de acero y otras historias* (1.968), confeccionada por él mismo.

1. *El cuento moderno: género, construcción y tema.* La definición del tema de una obra se aquilata cuando atendemos a la identidad de su género literario y, dentro de él, al subgénero, si es el caso. Ocurre con el teatro, donde comedia y tragedia indican ya cosmovisiones distintas, con la poesía según sea la función del lenguaje predominante, su molde artístico, etc., y con la narrativa. Aldecoa fue consciente no sólo de las diferencias estructurales entre novela y cuento, basadas en la anécdota o materia argumental y su cantidad apropiada a cada uno (sutil perfección de la medida en éste, grosera en aquélla), en los ritmos narrativos o ''*tempos* de orquesta'' dicho con sus propias palabras, en los soportes narrativos desiguales (la palabra para el relato, el suceso para la novela), y en el tratamiento estilístico;[2] sino también de la especificidad del cuento moderno respecto a las otras modalidades del género, con ideas que participan de los hallazgos prácticos y las teorías de los cultivadores más señeros del relato breve en Norteamérica, cuyas obras conoce de cerca, como nos revela su inédito sobre *El cuento en los Estados Unidos*.[3] ''A partir de Hawthorne

—registra Aldecoa— dejamos de entender como *cuento* —hecha la salvedad del cuento histórico— todo aquello que, perteneciendo a lo narrativo, no es un *estudio unificado de una situación intensa*"[4] (subr. mío), la cual resulta de construir un relato vertebrando el *corpus* de elementos narrativos de que consta en función del *efecto único o sencillo final*, descubierto precisamente por Edgar A. Poe en el arte constructivo de Nathaniel Hawthorne. Poe resalta cómo aquél

> "...habiendo concebido, con deliberado cuidado, un cierto *efecto* único o sencillo de trabajo, inventa entonces tales incidentes, combina entonces tales sucesos de la mejor forma para poder establecer el efecto precon- cebido. Si su verdadera cláusula inicial no tendía al descubrimiento de este efecto, entonces había fracasado en su primer intento. En la composición total no tenía que haber ni una sola palabra escrita cuya tendencia, directa o indirecta, no obedeciese a un único designio preestablecido."[5]

O sea, que el efecto único se convierte en el agente selectivo de ingredientes literarios, evitando lo subsidiario o digresivo y estableciendo las relaciones directas entre los núcleos argumentales del cuento: "...la trama, el conjunto de incidentes —puntualiza Ignacio—, la suma de episodios —muchas veces innecesarios o adje- tivos— por exigencia de la 'unidad interna' que propone el *efecto* único, se depura, se hace lo que se ha llamado 'acción motivada' o argumento"; muy distinta del carácter marcadamente episódico, con efectos en sí mismos, peculiar de los inci- dentes, por ejemplo, en los subgéneros policíaco, de aventura o de misterio. En consecuencia: considerando con Aldecoa —en una ampliación de lo aplicado por Thornton Wilder sólo al poema— que toda obra de arte consiste en una incesante sucesión de elecciones y que cada género se caracteriza por "el *modo* como se realizan y el *por qué* se realizan estas elecciones," o lo que es parecido, que en el caso de las narraciones sus diferencias estriban "no sólo en la longitud, sino en el propósito";[6] y atendiendo a la serie de elecciones efectuadas para el estudio uni- ficado de la situación intensa de "Santa Olaja de acero" y del efecto simple final al que aquéllas se encaminan y en el que desembocan, se desprende que el tema de este cuento es el heroísmo del humilde en el trabajo cotidiano, soportado con silencioso e íntimo sacrificio. Conviene matizar; 'lo heroico' se entiende en dos direcciones o subtemas desarrollados en el texto: el heroísmo intrahistórico del trabajo realizado a diario con fidelidad pero con escasísima recompensa, y el excepcional, provocado por el incidental peligro que corre la vida en cumplimiento del deber; todo ello proyectado sustantivamente hacia sus repercusiones en la vida afectiva del hombre.

2. *Interacción y unicidad de la historia: procedimientos generales de técnica y estilo.* Esos dos aspectos del heroísmo, al intentar el autor llevarlos al discurso textual, le plantean algunas implicaciones técnicas; al menos, tres. Por un lado, es necesario reflejar la cotidianeidad, el hábito, lo acostumbrado en el modo de vida; pero, de otra parte, el cuento exige una anécdota concreta donde se plasmen los

hechos, palabras, gestos, movimientos ..., en fin, donde observar, de cerca y con la extensión adecuada, a los personajes desenvolviéndose en su ambiente; en tercer lugar, con lo irrelevante debe combinarse lo excepcional, lo accidental (nunca mejor dicho que en este caso) arriesgado. ¿Cómo lo resuelve técnicamente Aldecoa?

Por supuesto, dando prioridad a la anécdota, a la narración individualizada; con ella principia la acción, disponiéndose el protagonista a salir de madrugada para el trabajo. Su conducta puntual, de ese momento, se registra minuciosamente; observándose los verbos: No *quería encender* la luz [...] *temía despertarla. Volvió* con suavidad [...] La cara de ella *quedaba*[...] *Decidió ponerse* los zapatos [...] *recogió* la camisa [...] *Cerró* la puerta [...][7] Pero en seguida la narración de actos puntuales, concretos, únicos, irrepetidos, cede lugar a la acción durativa, habitual, iterativa, manifiesta en el *aspecto* imperfectivo del tiempo verbal utilizado, el imperfecto de indicativo, idóneo para este fin:[8] Ella *se despertaba* con el sol, no con la claridad del amanecer. Ella *quedaba* atrás en su sueño y a él le *parecía seguir dormido* aún después de lavarse en la cocina, aún después de salir a la calle ...Luego volvemos a encontrarnos con más claridad las iteraciones, distribuidas oportunamente en medio del relato individualizado, a través de las cuatro secuencias de la seccion *1* (10, 11, 12, 13, 16). Y una segunda forma de iteración verbal por el *modo de acción* o *aktionsart* (plano léxico, semántico) de igual signo imperfectivo[9] (*solía decir*, 12; *solía confirmar*, 13). Además, apoyando o no a estos verbos, aparecen *especificaciones*[10] temporales definidas de forma absoluta (*siempre, habitualmente, todos los días*) o restringida (*a veces*) que ensanchan el marco temporal en que se ejecutan las acciones. Con las anteriores conviven una cuarta técnica que potencia la iteración: los fragmentos monodialogales compuestos por yuxtaposición de breves parlamentos significativos que pudieron ser o fueron pronunciados en momentos no consecutivos, probablemente muy distanciados. He aquí dos ejemplos en que todos estos recursos aparecen entrelazados:

El bar de los maquinistas *abría* a las siete menos cuarto de la mañana. El dueño del bar *hablaba* poco. *Estaba habitualmente* medio dormido. Cuando *llegaba* el mozo que le *ayudaba, subía* a su casa y *se volvía a meter* en la cama. A las once de la mañana *bajaba* de nuevo. *Era* otro hombre. Entonces *hablaba* con los que *entraban*, de toda clase de asuntos. Pero con los maquinistas *no decía* más que las palabras precisas. *"Tú, González, ¿café o té! Tú, ¿té como siempre? ¿Quién orujo? ¿Todos?".* Los maquinistas tampoco *hablaban* mucho, *tosían* la bronca tos de la mañana, *bebían* y *miraban* casi obsesivamente a la cafetera exprés cuando *abría* el dueño de la llave del vapor (10).

Mendaña *celebraba* las cosas de Higinio. *Reconocía* en él un talento superior al suyo. En la taberna *solía confirmar* las opiniones de Higinio: *"Tiene mucha razón Higinio,"* y repetía: Sí señor; Higinio tiene mucha razón."* En su casa *explicaba* a su mujer los acontecimientos futuros por lo que había dicho Higinio: *"No habrá guerra; todos tienen un canguelo torero. Ha dicho Higinio que Rusia habla de boquilla y que los yanquis* *son blancos, que tienen el calzón húmedo." "La vida no puede subir más. Higinio ha leído que la cotización es ahora de tres por una. Bueno, yo no entiendo; pero Higinio sabe de estas cosas. Lee mucho"* (13).

Usando en alternancia de estos recursos el narrador logra comunicarnos el carácter habitual —esencial al tema— de la historia que ahora vamos siguiendo en su realización aislada; en el ánimo del lector el suceso se multiplica, mientras el texto lo cuenta una sola vez. Sin embargo, introducida ya a lo largo de la primera parte o sección, no será necesario sostener la técnica durante el resto del relato; surge ocasional y débilmente el imperfecto (23), pero cuando en adelante se aluda a lo acostumbrado será de modo directo, por boca de los personajes.

La historia que presenciamos en el momento de iniciar la lectura es un trozo de vida individualizado, prolongado en una serie de actos sin relieve. El tiempo acotado para la historia o aventura, unas dieciséis horas (una jornada laboral ordinaria) es muy superior al de la narración. ¿De qué técnicas se ha valido el narrador para evitar el relato isócrono que —aparte de que, como bien explica Genette, "ne peut exister qu'à titre d'expérience de laboratoire"[11]—, aplicado a estas vidas anodinas, resultaría particularment enojoso? En principio, procediendo de forma selectiva, eligiendo momentos representativos, equiparables a las *secuencias* cinematográficas, por la materia acumulada en cada una y por las técnicas empleadas en su contextura: finales de plano largo o corto, fragmentarios si interrumpen la narración sorpresivamente (ejemplo idóneo por su pertinencia y efectismo dramático es el final de la sección 2: la entrada del mixto cortando las palabras de temor de los ferroviarios; vid. *infra* 4.3); variación de planos dentro de la misma secuencia, en 'tomas' propias del cine; ruidos y voces en pugna; fundido narrativo...Dos secuencias, la segunda y la tercera, llaman poderosamente la atención a este respecto: aquélla (11-12) se inicia con un plano largo de *Olaja* atravesando bravía los campos, luego la 'cámara' nos acerca hasta acompañar a Higinio y Mendaña durante un breve trecho del viaje, que abandonamos a la entrada de un túnel, visualmente con un casi fundido en negro que parece alargarse por la oscuridad, y auditivamente con el ruido del tren anulando las palabras del fogonero, cuyos labios continúan moviéndose al estilo de las películas mudas; la cuarta (15-16) arranca con la locomotora, en plano corto, mantenido hasta la parada inmediata siguiente, donde, tras un plano medio-corto a la llegada del jefe de estación, la cámara se distancia y/o se desplaza progresivamente de *Olaja* y los hombres en pos de un perro que husmea a lo largo del costado del convoy. Dentro de las secuencias, la acción avanza mediante procedimientos diegéticos de *tempo* rápido como la *escena no dialogada* y, sobre todo, el *resumen* narrativo:[12]

"Bebió su té y una copa doble de orujo, pagó y se marchó" (10).

"Mendaña tomó su café de prisa y se volvió a la máquina. Con un trapo sucio pretendió limpiar la suciedad de los mandos [...Higinio] No subió a

la máquina hasta que le avisó el jefe de estación que ya estaba desenganchado el vagón y que podía hacer la maniobra'' (12).
"Comenzaban los primeros túneles de la montaña. Cada uno tenía su nombre. Mendaña los iba nombrando a medida que iban entrando en ellos'' (16).
"El apeadero estaba escasamente a unos doscientos metros. Cuidadosamente, *Olaja* empujó los vagones hasta que la composición quedó frente al andén. El jefe del apeadero se acercó a hablar..." (20).
"Higinio abrió la puerta del portal de su casa y subió las escaleras. La casa estaba en silencio. Entró en la cocina. Como pensaba, su mujer le había dejado la cena en el rescoldo de la hornilla. Se lavó en el fregadero, se descalzó y comenzó a cenar'' (24);

y se acelera, entre secuencias o excepcionalmente entre escenas (ej.: 24), con un recurso extremo: los *blancos, silencios* o *saltos* narrativos, a veces amplios, como el de varias horas que separa las partes segunda y tercera del cuento (21). Naturalmente, la elección de cada artificio no es arbitraria; depende del momento en que se halle la aventura; en conjunto dotan al relato de un ritmo dinámico, ameno, soslayando fastidiosas narraciones y descripciones pormenorizadas de hechos, personas y cosas de escaso o nulo interés, bien por haber sido ya expresados (con lo cual, la reiteración, cuando aparece, se convierte en un dato estructural de acusada importancia), bien porque puedan fácilmente suponerse. Así se afinan las elecciones o componentes estructurales de la situación intensa y el relato progresa hacia el efecto último.

No obstante, al terminar la lectura nos sentimos como si hubiéramos estado cerca de los personajes, conviviendo con ellos mucho más tiempo que el empleado en aquélla. Es que, compensando la indudable dinamicidad, se intercalan numerosos *flashes*[13] y *escenas dialogadas* —engarzados por los procedimientos diegéticos antedichos— que intermitentemente remansan la acción, con los parlamentos no largos pero sí directos y matizados de los hombres. A este *tempo* lento, producido por los miméticos, colaboran otros recursos: a) el imperfecto de indicativo como *representación viva*, como visión *in fieri*[14] de los acontecimientos, nos presenta los hechos pasados como sucedidos, o mejor, como prolongados, sostenidos en su duración hasta que los estamos leyendo [*bajaba, veía, tenía* ...(10); *sonreía, partían, se erguía y sonreía* (11); *subían, se veían, arrancaba* ...(12); *soplaba, miraba, encendía* ...(13); *marchaba, entraba, corría* ...(14); *pedía, ponía* ...(15), etc.]; b) las perífrasis durativas [*siguió hablando* (11), *seguía sonriendo* (12), *estaba ascendiendo* (13), *fue perdiendo* (15) ...]; c) la riqueza, en bastantes ocasiones, de puntos o focos de atención, más, desde luego, en el narrador que en los personajes; aunque los trazos descriptivos y narrativos son escuetos, rápidos, la cantidad acumulada modifica sicológicamente la cualidad del relato:

"Higinio movió la manilla, miró al manómetro, volvió la cabeza y escupió. La máquina comenzó a moverse lentamente. Vía adelante un hombre les hacía señas con un palo en el que estaba recogida una franela verde. En la vía de la derecha, el gálibo, suspendido sobre un vagón solitario cargado de paja, tenía un ligero vaivén. A la izquierda estaban dos máquinas acopladas. Mendaña gritó algo a los fogoneros de las máquinas, algo que no le entendieron. Higinio sonreía. Mendaña siguió hablando a gritos mientras la máquina los apartaba y su resollar hacía que se borrasen las palabras" (11);

d) Algunas interiorizaciones (16–17), descripciones o narraciones más detenidas de lo común en el cuento y cuyo máximo ejemplo lo constituyen cuatro párrafos que dan comienzo a la sección *3* (21).

En un momento de la anécdota lineal surge el incidente laboral, la vivencia heroica en su nivel de excepción, donde corren grave riesgo las vidas de los hombres. Los procedimientos narrativos comentados hasta aquí van reduciendo, sincopado, nervioso, conveniente a la experiencia e impulsado por otras técnicas que en su lugar (4.2) veremos.

Así, pues, mediante diferentes recursos técnicos y estilísticos Aldecoa logra fundir y comunicarnos en una anécdota lineal los tres aspectos nucleares del tema: la iteración sugiere el hábito, la cotidianeidad; de modo selectivo y con *anisocronías* o velocidades narrativas diferentes, compensadas entre sí en la combinación de artificios diegéticos y miméticos, se ofrece un trozo representativo de la vida común de unos personajes humildes, en cuyo transcurso saltará sorpresivamente el peligro, acompañado de una adecuada narración vivaz. Queda considerar la incidencia de esa vida en la interioridad de los personajes, último e importante tenor del sentido; por ahora solamente aludiremos a este aspecto, ya que dadas sus varias y esmeradas fórmulas de expresión, tanto en la técnica como en la estructura, resultará metodológicamente más oportuno que lo desarrollemos a propósito del análisis de la última, donde encuentran también cabida los otros componentes del tema.

3. *El diseño espacio-temporal.* Responde a una evidente voluntad constructiva. Veamos. El protagonista, Higinio, cubre un itinerario jalonado por estos núcleos locativos:

Sección   *Núcleos y lugares concretos*

   i. Recinto familiar: dormitorio; cocina. Escaleras. Portal; salida a la calle.

   ii. Bar de los maquinistas.

   iii. a) Estación de trenes. b) Trabajo en la locomotora; paradas en pequeñas estaciones o apeaderos.

2　　{ iv. En plena ocupación laboral y en el campo; breve recorrido en *Santa Olaja*. Ocurre el incidente o peripecia.

3　　{
v. Estación de trenes.
vi. Taberna de los maquinistas
vii. Calle. Portal; entrada a la casa. Escaleras. Recinto familiar: cocina; dormitorio.

La construción simétrica del trazado espacial es clara: acabado el trabajo, Higinio regresa a su hogar por el mismo trayecto de la ida —lógicamente, invirtiendo el orden de los lugares—, hasta meterse en cama, desde la que saliera con el alba. (Una sola excepción de interés: tras el accidente (iv) y antes de abandonar máquina y estación (v), no lo seguimos en el resto de la jornada; tal ausencia está justificada y constituye un gran acierto compositivo, sobre el que volveremos en 4.3). Ese orden cerrado del itinerario acota el marco espacial de las actividades diarias del protagonista, de sus amigos, de sus conversaciones, de sus 'posibilidades' de asueto o distracciones..., esto es, dibuja el pequeño *puzzle* de su limitadísimo microcosmos costumbrista, en la acepción más amplia y noble de este adjetivo.

Al espacio le prestan apoyo primario las elecciones temporales. Es tiempo desapacible, van a entrar el invierno y la nieve cuando contemplamos a nuestros personajes, pero no ha querido el autor seleccionar un momento climatológico especialmente duro, para así mantener la historia en un tono de normalidad; le basta con sugerir cómo será cuando lleguen las temperaturas insoportables, considerando el horario laboral. Sí, empero, precisa cuál es éste en una jornada cualquiera, como la elegida: del amanecer a casi medianoche. Y dentro de ella establece tres secciones cronológicas, numeradas por el autor mismo, para descubrir sendos aspectos representativos de la vida de los personajes: *1*. El protagonista se levanta al alborear el día, dejando a su mujer cálidamente dormida; pasa por el bar de los maquinistas, abierto desde las siete menos cuarto; y comienza el trabajo, en el que lo acompañamos durante unos buenos ratos. Total: las primeras horas de la mañana, antes de las once (13). *2*. Unos pocos minutos agitados, que destacan entre el resto irrelevante de la jornada, por la situación peligrosa que viven. *3*. Es noche ya al salir de la estación; un alto en la taberna con los compañeros, breve porque hay que madrugar también al día siguiente, son las once menos cuarto e Higinio echa una hora en el camino hasta su casa; al llegar —medianoche—, su mujer duerme; él cena y se acuesta.

En conjunto, los datos de este diseño espacio-temporal subrayan la dureza del trabajo: a) en la estrechez de horizontes a que está sometido por su régimen laboral quien ni siquiera puede permitirse un pequeño y necesario esparcimiento durante el día, y menos en lugar no vinculado tan directísimamente al trabajo como la taberna,[15] en la que apenas para y no por falta de ganas; b) en el hurto de la mínima e indispensable vida familiar: la narración se abre y se cierra en la habitación y objeto (dormitorio y cama) más íntimos del hogar, que el hombre abandona y a los que vuelve siempre desacompasado con respecto a su mujer, dormida en ambos casos, o apenas con ánimos —si la despiertan los movimientos del marido al acostarse— de preguntarle, soñolienta, cómo le ha ido el trabajo. La última frase del texto apostilla el sacrificio e incide sobre su cotidianeidad: efectivamente, Higinio contestó a su mujer: *Bien. Como siempre* y *Luego cerró los ojos* —anota el narrador—; cuando tras un sueño escaso se despierte —pensamos los lectores— será para repetir la singladura espacial y temporal, incluida la posibilidad del mismo o de un nuevo peligro, dentro de una estructura circular, curva; cuantas veces quiera, el lector puede acompañar al personaje en su experiencia diaria simplemente recomenzando la lectura del cuento como un nuevo y sabido episodio, como hoy, como ayer, como mañana, "como siempre."

4. *La composición*. La virtualidad de la estructura se hace patente asimismo en la distribución del material narrativo o composición. Las tres partes o secciones del relato van menguando con estudiada funcionalidad sus extensiones respectivas en la marcha hacia el efecto final: la sección *1* ocupa siete páginas, unas cinco la *2*, y cuatro escasas la última. Cada una posee su peculiar entramado interno, al tiempo que está construida en función de las otras dos, y las tres, desde luego, en virtud del efecto único. Esa voluntad es la que adjudica a cada parte su misión:

1 sirve de planteamiento o *exposición* del sistema de vida en lo relativo al trabajo cotidiano.

2 culmina la acción externa rutinaria con la *peripecia* o sucedido temporal.

3 cierra —en contrapunto con *1*— lo cotidiano y le otorga el último sentido en el efecto sencillo final.

4.1 *Planteamiento o exposición*. Para introducirnos en el ámbito del personaje, el narrador ha efectuado cuatro calas en sus movimientos, deslindadas en el texto como secuencias narrativas (a, b, c, d). Esas calas recogen la actividad laboral, salvo en el comienzo (9–10): salida de casa, cuyo portal está aún cerrado; cruce con el sereno, guardián de la noche; desayuno en el bar de los maquinistas, soñolientos y silenciosos como Higinio en la madrugada, y cuyo dueño deja al ayudante atendiéndolo mientras él vuelve a acostarse hasta las once; y llegada al trabajo. Palmariamente, se trata de insistir, por contraste, en la dureza del horario, la cual tiene su aspecto más significativo justamente en el mismo arranque del cuento: el abandono del lecho conyugal tan temprano, acompañado de una poética conducta, por delicada y amorosa, hacia su mujer dormida. Importantísimo dato, el último, de la incidencia de esta vida en lo íntimo, que no debemos olvidar.

En la narración se alternan el elemento dinámico o acción, centrado muy pronto en la marcha de la máquina, y el estático, básicamente fijado por los fragmentos dialogados. Analicemos con qué formas y objetivos.

Aparte los saludos entre personajes, los fragmentos dialogales contienen los temas de sus preocupaciones, tratados de forma somera pero suficiente para apuntalar unas radiografías humanas: la comida, la salud, el goce de los sentidos, la dureza del oficio suyo y de otros..., a los que, como es natural, han de añadirse las disposiciones para ordenar el trabajo y los propios comentarios sobre éste o el instrumento principal, la locomotora. La aportación de materiales se hace escalonadamente. En la secuencia inicial (a) hay apenas saludos, despedidas y un cruce de palabras para comenzar la faena; entre ellas se deslizan unas llamativas referencias a la máquina como la *señora* (10, 11), y a sus *pulmones* (11), las cuales nos presentan una importante particularidad de la cosmovisión de los dos trabajadores: la humanización de la locomotora, introducida así como personaje desde casi su aparición. La segunda (b) inserta unos comentarios de leve tinte hedonista sobre la comida y, muy de pasada, otro sensual sobre la mujer del figonero asturiano, pero la importancia de esta corta secuencia estriba en presentar la técnica conversacional común y sugerir su uso en el resto de los diálogos, donde por economía narrativa no aparece sostenida constante y tan nítidamente, aunque no falta: consiste en la interrupción, entrecruzamiento y sarta de temas dentro de los diálogos, entrelazados a su vez con la narración, y atentos ambos a puntos diversos:

"—Me acuerdo —dijo Mendaña— que una vez, aún no había entrado yo en quintas, allá por el año veintisiete...
La mano de Higinio se movió y *Olaja* silbó airadamente.
—...tenía yo unos amiguetes —continuó Mendaña— que les gustaba mucho la priva y solíamos irnos a un figón, que tú conocerás, que está por debajo del puente que antes llamaban de la Reina...
Olaja volvió a silbar. Higinio avisó:
—En cuanto pasemos el túnel ya verás cómo cambia el tiempo. Hará más frío.
—Poco más o menos.
Mendaña se inclinó sobre la boca del horno. Tenía los ojos brillantes y la frente sudada. Se secó con un pañuelo sucio. Quiso continuar la conversación:
—Ese figón era de un señorín asturiano que presumía de valiente. La mujer era una cocinera de aúpa. Además, qué clase de mujer...
Los ojos le brillaron aún más a Mendaña. El tren acababa de entrar en el túnel y las palabras se perdieron. Higinio le contemplaba cabeceando. Mendaña seguía hablando, moviendo los labios" (12);

el final de la escena, indefinido al modo cinematográfico, ayuda a dar la sensación de que las conversaciones que no oiremos se desarrollan, entre ruidos, primero, y luego a campo libre, en términos similares a los transcritos. En las secuencias tercera y cuarta (c, d) los fragmentos dialógicos crecen cuantitativa y cualitativamente, añadiendo nuevos puntos y matices temáticos a propósito de las alusiones al entorno durante el viaje. Sobre todo aquélla, de extensión similar a la primera.

Mendaña elogia la fortaleza (¡Qué material el de antes!) de *la señora* (12) y se queja de molestias en la espalda; con Higinio habla del sol, de la pobre tierra de España que les da pie para retomar la conversación de la comida, ahora derivada a cauces menos deliciosos (lagartos, gatos, picazas), de las aves, del agua de lluvia, pretexto para reemprender la de la enfermedad, ocasión a su vez de que Higinio le recomiende *un agua que lo cura todo* (14) de una fuente sita en la parada inmediata, y, en fin, de la atractiva belleza de una zona del paisaje en primavera. La cuarta, breve como la segunda, vuelve sobre la enfermedad de Mendaña, a propósito del agua 'medicinal' recién tomada, e introduce dos comentarios sustanciales: uno, el tema del duro oficio (*No hay dinero para pagar esto, hombre . . .*, 15), culmina la serie de notas que van recomponiendo el horizonte vital de los personajes; el segundo, donde nos enteramos de que el material arrastrado por *Olaja* era maquinaria y en adelante será cemento, inocula subrepticiamente el germen del riesgo, una carga muy pesada que luego estará a punto de causar el descarrilamiento.

La acción propiamente dicha está protagonizada por *Santa Olaja*. En medio de los dos hombres, la locomotora va progresivamente adquiriendo categoría protagonística, desde su presentación indirecta por Higinio, como retrocediendo él a un segundo plano en beneficio de la identificación de ella en un enfoque primerísimo:

> "[Higinio] Estaba ya junto a la máquina. Todos los días fijaba la mirada por un momento en el nombre de la locomotora de una placa atornillada al costado: *Santa Olaja-1*. Letras doradas sobre fondo rojo (10).

o directa por Mendaña, que habla de la máquina como si de un ser humano se tratase (*señora*). Luego va escalando lugares, cada vez con más brío y animación, tarea en que la voz del narrador desempeña un valioso papel. Y también aquí la distribución por secuencias tiene su sentido. En la primera, y pese a las presentaciones susodichas, es todavía por dos veces *la máquina* (11), (aunque a la tercera sea designada con su nombre): *comenzó a moverse . . . , fue parada justamente . . . y dejó escapar un largo chorro de vapor,* en el que la capacidad comparativa del narrador intuye *un como sostenido suspiro;* así, pues, hay una indecisa alternancia en la presentación de la locomotora hasta aquí. La segunda secuencia, empero, señala lo que va a ser el resto tocante a *Olaja*, llamada así en lo sucesivo: principia ésta con movimientos de matiz humano (*marcha de puño violento,* 11), pronto silba *airadamente,* y vuelve a silbar, hasta perderse (esta vez, *el tren,* 12) en el túnel con el diálogo de los hombres. Conservará —tercera secuencia— su nombre (excepto en un amplio apunte panorámico que nos ofrece el narrador objetivo: *Subía la máquina a la altiplanicie*) por seis veces, en las cuales suelta un vagón, *sopló de nuevo, soplaba mucho . . . Marchaba lentamente, marchaba ya normalmente . . . ,* y *silbó fuertemente* con un silbido tan vigoroso que *saltó a las desiertas lomas . . . ; anidó en la vaguada . . . ; se perdió en el aire* (14-15). En la cuarta, junto a actos similares a los anteriores, surgen —paralelas a los diálogos— dos notas inquietantes: *Olaja* no sólo se muestra animalizada sino que exige, y hasta insinúa una incorporación del hombre a ella: *"Olaja" pedía más carbón..., Sus grandes manos parecían algo mecánico de la pertenencia motriz de "Olaja"* (15).

Sin más acicates que los enunciados —leves—, finaliza la parte *1*, cuyas secuencias muestran una disposicón eficaz. Se alternan en la extensión y en sus funciones: las 1ª y 3ª más largas, desarrollan con amplitud adecuada los componentes básicos del planteamiento o exposición; las 2ª y 4ª, breves, agilizan la escritura, sirviendo de puente resumidor de lo que precede y proyector hacia lo siguiente. Por su lado, la proyección global de toda la sección consiste en una latencia activa de aspectos que jugarán su baza definitiva posteriormente. De momento, nada extraño se vislumbra; la conversación fluye por cauces ordinarios, y a la locomotora la dejamos, tranquila, en una estación (16). Para entonces, el lector se ha asomado a la interioridad de los personajes, y en buena medida se les ha acercado afectivamente con una simpatía nacida de las ocupaciones y sacrificios, ilusiones y padecimientos, sencillez y humanidad de aquéllos.

4.2 *Peripecias o sucedido.* De una sola secuencia se compone la sección *2*, cuyos inicios prolongan los ingredientes narrativos de la anterior: durante el trayecto los hombres se refieren al paisaje —nombrando los túneles—, Mendaña a su enfermedad, y ambos al tiempo (cielo oscurecido, premonitorio de nevada); *Olaja* se destaca en la acción con su viveza animada, como al salir del túnel, corriendo *libre y hasta más alegre* (17). Pero entre esos datos de continuada normalidad se insertan dos notas inquietantes: Higinio; que *estaba atento a la marcha de "Olaja"* (16), como era su deber y costumbre (vid, p. 14), aventura:

> "—Las traviesas están medio podridas. Un día nos vamos monte abajo con todo el percal" (16);

y la locomotora despierta un cierto temor,

> "...el temor repentino de que *Olaja,* hasta entonces obediente, podía dejar de serlo allí mismo" (17).

El narrador prepara así, no la peripecia absolutamente imprevista, sino otra, repentina, pero convincente y eficaz para el tema, pues se intenta mostrar la posibilidad de que en cualquier momento ocurra; para ello, desliza casi imperceptiblemente esa mínima dosis de *suspense* en nuestro distraído ánimo. En seguida las alarmas se amortiguan: la conversación retorna a la normalidad y nos enteramos de que *Olaja transmitía a las manos de Higinio sobre las palancas la serenidad de su fuerza encarrilada* (17); pero la siembra está hecha y las amenazas subyacen.

De pronto, el obstáculo llega y con él la peripecia. Las traviesas son, efectivamente, el motivo, aunque indirecto, no al modo que apuntara Higinio: la vía está levantada y el convoy ha de retroceder. Con esa primera e ínfima 'vuelta de tuerca' principia el incidente; entonces se manifiestan peligrosos datos antes desapercibidos como tales. Fundamentalmente son tres:

a) Peligro de arrastre por la pesada carga (cabeza del convoy en la marcha atrás)	nos remite a		la carga de cemento (*1* d, 15)
b) Marcha cuesta abajo	,,	,, ,,	diversas subidas en que hemos seguido a *Olaja: Subía la altiplanicie* (*1* c; 12).... *soplaba mucho. Estaba ascendiendo una cuesta. Marchaba muy lentamente* (*1* c; 13) *A medida que ascendían* ... (*2*; 17)
c) Consecuencia de a) y b): Posibilidad de desboque ingobernable de los vagones, seres sin cabeza, la cual es Olaja, su cabeza, su inteligencia, su fuerza recta (19)	,,	,, ,,	la animación comentada en 4.1

¿Responderá *Olaja*? O, lo que es tan grave, ¿lo hará a tiempo?, porque se ha introducido un nuevo ingrediente: el probable choque con el tren mixto si —ignorando las obras de la vía— en la última estación de La Penaza le han dado salida reglamentaria, como a *Olaja* minutos antes. Todo ahora se concentra en la peripecia, cuya protagonista indiscutible ya es *Olaja* —designada por su nombre quince veces en dos escasas páginas— y que Aldecoa planea con técnicas del más puro relato de intriga, multiplicando los detalles suspensivos para hacernos 'vivir' el accidente. En el momento cumbre se concentran, entretejiéndose, diversos recursos: el más lógico de progresivo acrecentamiento del peligro por el encabritamiento del convoy, la actitud de los maquinistas reflejada en su *kinésica* [16] y sus palabras, la captación 'fílmica' en primer plano de los movimientos de los hombres o de partes del tren, y otras apoyaturas para subrayar el delicado trance, entre las cuales merecen destacarse ciertas intervenciones del narrador —estudiadas más adelante—, tan osadas como oportunas. La distribución de los motivos integrantes de la peripecia puede ser la de la *tabla* adjunta (*pp.* 82 -83).

Un breve análisis de la tabla arroja luz sobre la maestría de Aldecoa en el manejo de las técnicas del relato de acción, que sin ser su campo de creación predilecto encontramos incluso en sus narraciones largas, insuflándoles ese ápice de dramatismo externo ——en "Santa Olaja de acero" algo más, desde luego— que pedía Ortega [17] dentro de la contemplación y que espolea la atención del lector. Consideramos los recursos en sus dos formas de disposición en la tabla. Siguiéndolos en la horizontal observamos cómo se entrelazan los motivos en composición alternante más sosegada al principio, donde se detiene siquiera brevemente en alguno, y progresivamente entrecortada conforme avanza la narración, que toma así un ritmo vibrante adecuado al objetivo de mantener en vilo los ánimos. En su disposición vertical descubrimos, dentro de cada componente, una intensificación gradual del interés dramático, desde la primera y simple consideración del riesgo hasta los momentos más álgidos del accidente, positivamente resuelto; leyendo por separado cada columna obtenemos una visión parcial del suceso, naturalmente explicado en su totalidad por la resultante de combinar todos ellos: la constatación objetiva de la marcha del convoy (velocidad creciente, medida de los frenazos, resistencia de los enganches . . .); la subjetiva del temor, las dudas, el ánimo y la fe última de los hombres en *Olaja*, y los intentos sucesivos de domeñar al convoy para evitar la catástrofe, que tiene su centro de interés en la acción, tomada en primer plano, de las manos del hombre sobre las palancas de la máquina; además, las inyecciones recordatorias del peligro.

Por esta vez, el final es feliz, los hombres cruzan comentarios de rigor sobre el *milagro* de haber controlado el tren; *Olaja* coloca los vagones en el apeadero, empujándolos con cuidado. La tempestad ha remitido; reina la calma. Pero subsiste la herida sicológica, que una última vuelta al tornillo del *suspense* contribuye a reavivar: el jefe del apeadero comentaba —recordándonos el quizás más catastrófico de los peligros, no resuelto todavía en la aventura— con Higinio y Mendaña que *En la Penaza no habrán dado salida al mixto; si se la hubieran dado, lo tendríamos entrando . . .* (21); podría pensarse en una ingerencia del azar o en una información diligente a los de aquella estación y favorables a los del tren, cuando súbitamente *El sostenido pitido de la máquina del mixto acercándose cortó sus palabras*, y, al unísono, las del narrador y nuestra lectura, dejándonos suspendidos al cortar ahí mismo la secuencia. Deducimos que se han salvado por su trabajo perfecto, por la rapidez en su ejecución: muy pocos minutos de tardanza habrían consumado la tragedia. Ese último aguijonazo, apoyado en el fragmentarismo literario que da cima al *tempo* vivo de la peripecia, inmediatamente después de una breve distensión con cuyo contraste aquél se realza, refuerza no sólo la emoción de la sección *2* sino su mismo sentido en el interior del cuento: mostrar a unos hombres jugándose la vida en un día cualquiera de su trabajo. Esta vez se han salvado, pero ¿y la próxima? Un modo de heroísmo, el anónimo, cotidiano, intrahistórico, obtiene una dimensión extraordinaria en el grave riesgo de unas vidas, entendido convencionalmente como el heroísmo por antonomasia.

4.3 *Contrapunto y efecto final.* Expresados ya los aspectos centrales del tema, ¿a qué prolongar el cuento con esta sección *3*? Para señalar la hora y los lugares de regreso, hasta la última escena del dormitorio, ¿no bastaría con un eficiente resumen final? La respuesta debe ser negativa. ¿Por qué? A mi juicio, la omisión de toda referencia al resto de la jornada laboral, sí es un acierto: de una parte, porque podemos reconstruir esos fragmentos de vida a través del paradigma que suponen los retazos narrativos anteriores al accidente; de otra, porque a la acción, encarrilada hacia el efecto final, le importa no demorarse. Pero, dada la estatura moral que los

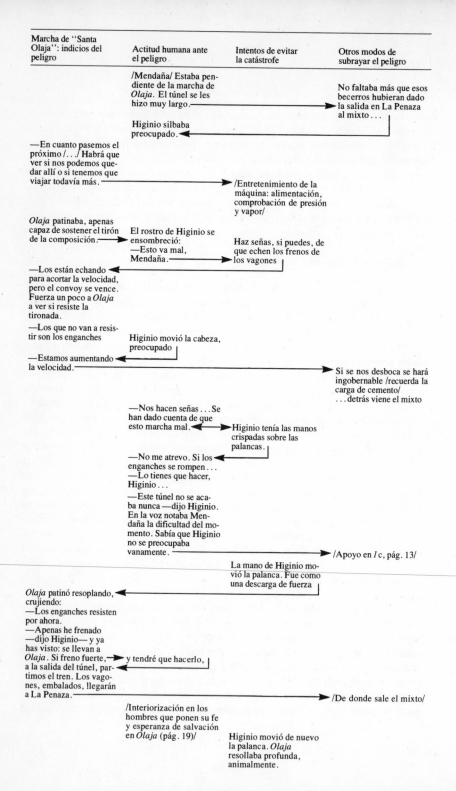

Marcha de "Santa Olaja": indicios del peligro	Actitud humana ante el peligro	Intentos de evitar la catástrofe	Otros modos de subrayar el peligro
	/Mendaña/ Estaba pendiente de la marcha de *Olaja*. El túnel se les hizo muy largo.		No faltaba más que esos becerros hubieran dado la salida en La Penaza al mixto...
	Higinio silbaba preocupado.		
—En cuanto pasemos el próximo /.../ Habrá que ver si nos podemos quedar allí o si tenemos que viajar todavía más.		/Entretenimiento de la máquina: alimentación, comprobación de presión y vapor/	
Olaja patinaba, apenas capaz de sostener el tirón de la composición.	El rostro de Higinio se ensombreció: —Esto va mal, Mendaña.	Haz señas, si puedes, de que echen los frenos de los vagones	
—Los están echando para acortar la velocidad, pero el convoy se vence. Fuerza un poco a *Olaja* a ver si resiste la tironada.			
—Los que no van a resistir son los enganches	Higinio movió la cabeza, preocupado		
—Estamos aumentando la velocidad.			Si se nos desboca se hará ingobernable /recuerda la carga de cemento/ ...detrás viene el mixto
	—Nos hacen señas... Se han dado cuenta de que esto marcha mal.	Higinio tenía las manos crispadas sobre las palancas.	
	—No me atrevo. Si los enganches se rompen... —Lo tienes que hacer, Higinio... —Este túnel no se acaba nunca —dijo Higinio. En la voz notaba Mendaña la dificultad del momento. Sabía que Higinio no se preocupaba vanamente.		/Apoyo en *I* c, pág. 13/
		La mano de Higinio movió la palanca. Fue como una descarga de fuerza	
Olaja patinó resoplando, crujiendo: —Los enganches resisten por ahora. —Apenas he frenado —dijo Higinio— y ya has visto: se llevan a *Olaja*. Si freno fuerte, a la salida del túnel, partimos el tren. Los vagones, embalados, llegarán a La Penaza.	y tendré que hacerlo,		/De donde sale el mixto/
	/Interiorización en los hombres que ponen su fe y esperanza de salvación en *Olaja* (pág. 19)/	Higinio movió de nuevo la palanca. *Olaja* resollaba profunda, animalmente.	

Marcha de "Santa Olaja": indicios del peligro	Actitud humana ante el peligro	Intentos de evitar la catástrofe	Otros modos de subrayar el peligro
	—En cuanto estemos a la luz, Higinio, inténtalo.		
—No deben frenar /los hombres de los vagones/ de esa forma; van a arder los ejes.			Mendaña se asomó al ténder y movió la lámpara a sus dos lados. —Ya me han visto —gritó.
—Mendaña, pasa a los vagones y diles que aflojen un poco los frenos,			que voy a hacer la prueba de parar el tren. Diles que cuando tú hagas una señal con la mano frenen los vagones de más peso
	Mendaña saltó sobre las pilas de carbón... Mendaña estaba de regreso. —Cuando tú digas, Higinio.		
El tren llevaba ya una gran velocidad.			—Voy a aprovechar esta curva;
alguno se saldrá del carril, pero acaso frenemos.		/Intento definitivo:/ Puso las manos sobre las palancas y pitó largamente. Gritó:	
—Si alguno salta... Olaja fue frenando paulatinamente. Todo el tren retemblaba, se agitaba, parecía que iba a salirse de las vías. Los cubos de los ejes, recalentados, quemaban el aceite. En medio de la composición pareció que un vagón se encabritaba. Luego Olaja se hizo definitivamente con el resto del tren. Frenó totalmente, con seguridad; resbaló un poco sobre los rieles y el tren quedó parado.			
	Los hombres saltaron a los bordes de la vía. El jefe de tren corría hacia la máquina. Higinio se pasaba la mano por la frente. El fogonero se apoyaba en Olaja. —De buena nos hemos librado —dijo el jefe del tren.		

protagonistas han adquirido ante nuestros ojos, la recurrencia a aspectos temáticos tratados con anterioridad otorgaría a éstos una dimensión definitiva; de ahí la conveniencia no de insinuar, sino de *mostrar* el ambiente en las horas del regreso, muy de noche, con otros personajes de vida similar. Las conversaciones matizan ese ambiente, la situación social y el mismo talante de los trabajadores, opuestos a toda jactancia sobre su valor o su sacrificio; antes bien restan importancia a los peligros y gustan más de hablar de otros temas: otra vez, por ejemplo, el de la comida, que descubre actitudes de austeridad, conformismo...; pero si, a la ida, difícilmente pudo Higinio entretenerse en el bar por la urgencia de la entrada al trabajo y por la misma inoportunidad del momento, ahora, de noche —cuando ya nadie transita por lo avanzado de la hora (cfr. la soledad de la estación al salir los dos compañeros, en la descripción ambiental más amplia del relato, p. 21)—, tampoco va a ser posible por la necesidad de reponer sueño y fuerzas para el día siguiente. Sin embargo, es la secuencia final del hogar la que aporta el último sentido, la que concentra en el efecto simple sobre el que está construido el relato toda la riqueza significativa: 1) el sacrificio del hombre comenzaba —según vimos— tempranísimo, dejando a su mujer en cama, hurtándole el horario parte de su vida familiar; podría pensarse en un madrugón compensado luego, pero su llegada nocturna confirma la veda de esa intimidad, ahora más realzada, porque el personaje, a estas alturas, se nos presenta merecedor de mejores recompensas y alicientes. Los flancos del cuento (principio y fin), rigurosamente simétricos en los registros de la narración (cfr. en una relectura —9 y 24— la minuciosidad en movimientos, objetos, descripciones..., desde la luz que penetra por las ventanillas hasta la llegada a la puerta de la calle y viceversa), subrayan decisivamente la incidencia negativa de las condiciones materiales sobre la vida afectiva del hombre. 2) La contestación de Higinio a la única frase que cruza con su mujer en todo el día (*Bien. Como siempre,* 24) muestra: a) la enorme capacidad de sacrificio silenciosamente aceptado (*Bien*), y b) la 'condena' laboral a que se halla sometido (*como siempre*). Sabiendo que *No eran los compañeros gentes para extenderse en comentarios sobre los peligros pasados* (23), comprendemos que las palabras a su mujer no son meras palabras tranquilizadoras, cariñoso engaño para no preocuparla, sino sincera, honesta y noble actitud del trabajador que acepta el riesgo del oficio sin aspavientos y hasta con su pizca de estoicismo, sabiendo que mañana, "como siempre," se someterá a los mismos avatares.

5. *Las perspectivas del narrador.* El de *Santa Olaja*...es una voz ausente de la historia, esto es, un narrador heterodiegético,[18] cuya primordial característica es su ductilidad, su habilidad para efectuar las mudanzas de perspectivas más convenientes, más rentables para el relato. La impresión global que el lector recibe es la de un relato objetivo, y en verdad que esa actitud lo jalona intermitentemente, a veces en párrafos relativamente extensos, apoyada en un lenguaje minucioso y preciso que no descuida los términos específicos como *manómetro, gálibo, ténder, visor, topes de vagones, cubos de los ejes, puente de la máquina*...(*Vid.* el frag-

mento de la 11, desde *Higinio movió la manilla, miró el manómetro, volvió la
cabeza* ...a *Higinio sonreía*); objetivos son también, lógicamente, los numerosos
fragmentos miméticos en que los personajes irrumpen dialogando. Otras veces, en
cambio, el narrador hace acto de presencia fugaz con breves adjetivaciones o comparaciones: De los cables del tendido eléctrico partían en vuelo, en *masa guiñante*,
bandadas de pajarillos (11); el convoy hacía un ruido *endemoniado* al pasar por el
entramado de hierro de un puente (14); En las arrugas de la cara de Higinio la
carbonilla ponía su *tatuaje* negro, construyéndole como una *máscara de impa-
sibilidad* (15); un perro se acercó a Olaja siguió al trotecillo *curioseando* a todo lo
largo del convoy (16); El empleado hizo un vago gesto de *disculpa* y *asentimiento*
(22)...Se trata, como se ve, de una omnisciencia calificable de recatada y muy
conveniente al carácter del cuento por su economía: unos trazos rápidos resumen
sugerentemente lo que habría necesitado de mayor extensión para ser descrito,
evitando la digresión y haciendo avanzar el relato. Económicas son igualmente estas
intervenciones del narrador, que aceptamos con facilidad para seguir la lectura del
cuento y comprender el mundo que se nos narra,[19] concretadas en a) las fórmulas
iterativas señaladas en el apartado 2 cuya misión es comunicar al relato su carácter
habitual; b) pero también en algunas explicaciones o presentaciones de personajes
por el narrador omnisciente que enriquecen con mucha rapidez el ambiente humano
y costumbrista:

"Llamaban jarabe al polvo de carbón con agua" (11)

"La máquina era para los dos, en la compañía del trabajo, *Olaja; Olaja* y
nada más. A veces le llamaban la señora; pero lo decían irónicamente,
porque ellos no eran señores y una compañera de trabajo tampoco podía
ser señora" (11)

"'Superior' en el lenguaje de Higinio equivalía a decir 'de una experiencia
aislada' en la nómina de los restaurantes baratos, frecuentados para
merendar con los amigos" (11)

"En Turgo daban café en la cantina [...] La mujer de la cantina era viuda
de un ferroviario y los conocía de antiguo" (12)

"Se acercaba el jefe de estación hacia ellos. El jefe de tren estaba al final
del andén..." (16)

"...saldrían a la calle oscura, a la calle que llamaban en la ciudad del
Ferrocarril" (21)

Todos estos recursos contribuyen a que la historia parezca mostrarse por sí misma,
generarse ella sola: de ese modo gana verosimilitud la exposición del caso y se
potencia la carga de testimonio que pueda comportar.

Pero Aldecoa no pone el acento en lo testimonial sino en la profundización de
las "zonas abisales" del hombre,[20] en la incidencia de los aspectos materiales sobre
la intimidad de sus personajes, como atrás hemos visto. Ello obliga al narrador a
abandonar la visión "desde fuera" o focalización externa[21] para acercarnos a las

vivencias de las criaturas. El mismo, como guía del lector, es quien primero se asoma, como si fuese un observador o testigo de los acontecimientos, que entabla una relación de simpatía con los protagonistas. A este respecto son elocuentes las referencias a *Olaja*. Hasta mediada la pág. 11, habla de *la máquina;* en ese momento, el narrador hace un comentario acerca del nombre dado usualmente por los dos obreros a la locomotora durante el trabajo, y a partir de entonces, salvo en un par de ocasiones, también él la llamará *Olaja,* así como desde que Mendaña habló de *la señora* viene refiriéndose a ella como un ser animado, con los matices comentados en 4.1. Logra de tal guisa el relator introducirnos en el mundo fictivo y hacernos participar sicológicamente de las vivencias. Para lo cual a veces incluso irrumpe con descarado intruismo, usando claramente de su memoria en los comentarios; ocurre en la peripecia: durante los minutos de mayor peligro, cuando los maquinistas están agobiados intentando dominar a *Olaja,* el narrador, testigo y observador oculto, advierte cómo *Mendaña no se reía a carcajadas ni les hacía gestos deshonestos* (18) a los que arreglaban las vías, cómo *Ninguno de los dos miraba a los valles* (18), cómo *los hombres no tenían tiempo de fijarse en el paisaje* (20), gestos y actos realizados cuando a la ida transitaban sosegadamente. Esta omnipresencia, lejos de ser insoportable, sirve al relato con precioso oportunismo y sentido: en primer lugar, porque las tres intervenciones disimulan con su brevedad una posible impertinencia; luego, porque confieren un mayor sentido a gestos y actos que anteriormente parecían estar limitados a la mera creación de un ambiente; por último, porque añaden interés, desde un ángulo humano, a la intriga. Más tarde, se repite la intervención para encarecer afectivamente la estructura de *"material de antes"* (21) de *Olaja* salvadora de los hombres, palabras entrecomilladas por el mismo autor, que nos remiten a un comentario muy anterior de Mendaña (12); y de nuevo —con una omnisciencia que por vez única estimo sobrante, falta de capacidad sugeridora, errónea en la comparación y rozando lo melodramático— para contrastar su humildad material y sus vidas de sacrificio con la de los viajeros: *Ni Higinio ni Mendaña caminaron hacia los andenes de viajeros para salir por la puerta de lujo de la estación. Ellos se fueron donde los tinglados de las mercancías, buscando la verja de hierro, por la que saldrían a la calle oscura . . .*(21).

No obstante, el modo más fiel de observar la repercusión de las experiencias en la intimidad de los personajes es, obviamente, hacerlo desde dentro, mediante la focalización interna. Si, como sucede a veces, esas focalizaciones se limitan a un impresionismo sensitivo, desempeñan una simple función ambientadora, muy necesaria, eso sí, para la captación de la realidad hasta en sus datos más externos (ruidos, humo, oscuridad, presión, humedad, frío o calor a las entradas y salidas de los túneles, juegos de luces y colores . . . —vid. 16–7, 18, 19—; *Los distintos hedores de los tinglados: el violento, fosfórico olor de pescado, la suavidad vegetal de la paja, el olor rotundo de los bocoyes de vino . . .*en la estación, 21). Pero son más valiosas las que nos descubren pensamientos, estados de ánimo, experiencias íntimas; especialmente interesantes resultan las focalizaciones internas de los momentos álgidos de la peripecia, que elevan el *suspense* al conocer el lector los temores y esperanzas de los personajes. El caso de Mendaña es atractivo: en la sección *1* conocimos la admiración que sentía por Higinio, por la clarividencia de su compañero; con base en ella, la perspectiva de Mendaña —cuando están afanándose por dominar el convoy— añade sutilmente dramatismo a la situación: *En la voz* [de Higinio] *notaba Mendaña la dificultad del momento. Sabía que Higinio no se preocupaba vanamente. Le miró con fijeza* (19). Una nueva interiorización del fogonero destaca con nitidez las fuerzas en conflicto, y con imágenes —que no lenguaje— apropiadas a su condición establece los términos de la posible catástrofe:

"Mendaña pensaba que *Olaja* tenía que resistir todo el tren, que *Olaja* tenía fuerza para detener el desboque de los vagones. Un desboque terrible de seres sin cabeza, porque aquel tren que se les presentaba como humanizado tenía su cabeza, su inteligencia, su fuerza recta en *Olaja*. Iba a ser acaso como lo que ocurre con las mormas más primitivas de la animalidad, que, aun mutilado el ser, cada parte tiene una vida propia y se agita y se mueve hasta que sobreviene la muerte. Mendaña tenía fe" (19).

Estas focalizaciones internas, que son *variables,* pues también se dan con Higinio, se convierten alguna vez en *simultáneas: Los dos pensaban en "Olaja," en que "Olaja" sería capaz de frenar el espanto* (19); economía elogiable para el momento, porque hermana las esperanzas concebidas por cada hombre particularmente ante el mismo peligro. Ahora podemos valorar mejor el acierto de la técnica empleada en los fragmentos inicial y final del relato: la narración se hace desde la perspectiva de Higinio, y en las introspecciones relucen sus cualidades de sensibilidad, no queriendo despertar a su mujer con sus movimientos, y de aceptación del sacrificio sin destemplanzas. Ese conocimiento de su actitud interna acrecienta la humanidad del personaje y, consiguientemente, el tono de denuncia de la historia: virtudes y bondad no correspondidas por unas injustas condiciones de vida. Todas ellas son pruebas de cómo un narrador multiforme adopta perspectivas diversas en función del servicio y potenciación de la historia y, en definitiva, del tema ficcionalizado.

6. *Los personajes y su mundo: relativismo vivencial y cultura.* Cuando hasta aquí hablábamos de los personajes, es claro que nos referíamos a Higinio y Mendaña, literariamente muy por encima del resto que cabe en una neta categoría de secundarios sin paliativos y cuyas apariciones son fugaces, pero de tener en cuenta. De los dos, el primero es jerárquicamente superior al segundo por cuanto el relato se construye sobre su trayectoria. Por lo demás, sus protagonismos son idénticos, aunque los personajes sean disímiles en sus caracteres, que se complementan en lo humano y en orden al tratamiento del tema.

Higinio, el maquinista, es prudente, serio pero simpático y amable, sensato, más parco en palabras que su compañero, razonable..., es decir, austero e inteligente en su conducta; sus cualidades ejercen un claro ascendiente sobre Mendaña (13). En Higinio tenemos al protagonista ideal para el tema, representativo, en el sentido de poseer capacidad para la concienciación y el análisis, demostrada en cortas pero atinadas intervenciones. A su lado trabaja Mendaña, el fogonero, algo primitivo y abandonado (cigarrillo a la oreja, 14; se pasa el dorso de la mano por la boca para limpiarse, 12, 24; hace gestos deshonestos a los del túnel mientras se ríe a carcajadas, 17...), ingenuo, en su ilusión por sanar con el agua de la fuente (15), y, sobre todo, parlanchín, justo lo necesario para sacar a luz, en la ingenuidad y la irreflexión, las condiciones de vida que ambos padecen y, al comentarlas, desprenderse de cada uno su actitud ante ellas. Su autoridad moral de protagonista no deja margen a la duda; es más, se destaca sobre la de Higinio por un padecimiento mayor en su propia carne: hombre de *cabellos cenicientos* ya (13), sigue trabajando, presa de una enfermedad preocupante.

Aparte estas características que los hacen personajes humanos individualizados y no meros tipos, y de su función técnica en el terreno conversacional, los dos representan a un mismo sector, como obreros ferroviarios. Ese sector aparece caracterizado desde el lenguaje, no sólo en la precisión del léxico profesional (*bateas, balastro, enganches, mixto, ejes*...), sino en un buen número de usos coloquiales que Aldecoa ha sabido distribuir sin repeticiones abusivas en tan pocas páginas: elisión de verbos, especialmente en el encadenamiento entre habla y réplica (10, 16); alteración del orden lógico de las palabras dentro de la oración, alguna vez fuertemente separadas (—*¿Qué pasa ahora?/ —La vía. La habrán levantado. ¡Quién sabe!*, 17); expresiones vocativas (*hombre*, 15, 22); expresiones afectivas de diversos matices y con distintos procedimientos, como sufijos, sustantivos, sintagmas...(*amiguetes, dinerete, esos becerros, cara de sopazas*...); fórmulas ponderativas, de creación similar a las anteriores o con frases hechas, repeticiones ...(*¡Qué mañanita!, sitio superior, ponen los conejos cosa seria, cocinera de aúpa, no da ni golpe, noche criminal, muy cuco, menudo pájaro, la vía está de risa, un frío de ole, un buen filete de carne, carne*...); comparaciones o sustituciones lingüísticas, metafóricas, muy apropiadas a su nivel cultural (*Ahí corre un buen almuerzo, el caño de respirar, los yanquis son blancos, que tienen el calzón húmedo, no te va a hacer efecto al instante como el elixir del padre Botija*); sustantivos o verbos vulgares (la *priva* por 'la bebida,' *pimplar* por 'beber,' *pellejo* por 'piel,' *canguelo* por 'miedo,' *hincar el pico* por 'morir,' *por tablas* por 'por poco,' *la parienta* por 'la mujer,' *el catre* por 'la cama'), siempre degradando lo sustituido, que es una manera de quitarle importancia; y, en fin otros como el artículo antepuesto al nombre propio (*el Andrés, la Charo*), expresiones diversas (*señorín asturiano, tío finolín, hago ascos, te pegas un buen trago, cosa de una hora*), etc., que, junto a los casos anteriores, denotan un nivel cultural muy modesto, paralelo al social y al económico.

De los cuales, por cierto, hay datos para reconstruir lo fundamental de sus formas de vida. La jornada laboral es de unas dieciséis horas, y a Mendaña, cuyo trabajo es penoso, le está robando la salud: Higinio le dice que la vieja *Olaja* tiene mejores pulmones que él (11); el propio Mendaña comenta que tiene mal *el caño de respirar. Estoy tan sucio* —añade— *por dentro como por fuera* (16); se queja de *una cosa aquí que me tiene doblado* (13), un *dolor de espaldas* que a juicio de su compañero proviene de *como unos cristales que se forman dentro de los poros de la segunda piel y que se tienen que disolver* (14). Además, están mal recompensados en lo económico, a juzgar por el nivel del vida: Mendaña, algo bruto, habla de comidas despreciables (gatos, lagartos, picazas) como si fueran manjares, en una clara degradación del gusto; y para Higinio, más refinado, una comida *superior* no pasaba de ser la mejor entre las de *la nómina de los restaurantes baratos* (11). Ni siquiera parecen tener a cubierto las seguridades sociales básicas: el fogonero no busca la curación de su enfermedad en la medicina (¿acaso puede usar de ella y, en su incultura, no quiere for falta de fe?), sino en el remedio casero de la refriega con alcohol de romero (13) o en el agua que su compañero le recomienda porque una curandera *la receta para todo* (14, 15); en caso de accidente, el desvalimiento de la viuda es notorio, como cáusticamente resalta Higinio en la taberna (22). Algún otro aspecto menos dibujado insinúa la humildad económica: por ejemplo: con lo cuidadoso que es Higinio, el hecho de lavarse en el fregadero de la cocina (9, 24) sugiere la falta de un cuarto de aseo en la casa. Todos estos detalles y otros que surgirán ponen en evidencia a quienes niegan a la obra de Aldecoa un valor testimonial. Ocurre que a Ignacio no le movió el enarbolamiento de ninguna bandera de reivindicaciones sociales o de sentimentalismos, según manifestó repetidas veces y en un riguroso análisis de *Seguir de pobres* ha subrayado Martínez Cachero,[22] sino el convencimiento de que hay una realidad española, cruda y tierna a la vez, que está casi inédita en nuestra novela;[23] él denuncia esa realidad *cruda*, a otros —no al literato— corresponde encontrar soluciones. Más le importa bucear en esa otra realidad *tierna* y que, al contraste de las dos, reluzca el sentido de las vidas.

Y la ternura la encontramos en la idiosincrasia de los personajes. Trabajadores honestos, en un trabajo que si no es el más duro, sí les hace llevar una vida dura.[24] También en la elección del oficio Aldecoa ha querido dar alcance generalizador, representativo al relato: el de ferroviario (recuérdese que los del convoy eran seis hombres, 20) no es el peor —admiten los mismos protagonistas—, hay profesiones mucho más duras como la de *estar metido en una mina o al pie de un horno, durante ocho horas, quemado por fuera y por dentro* (15); y ocupaciones nada apetecibles como la de mujer que barría la estación, inquieta por la hora tardía (21), o la del vigilante de arbitrios (22), que al contrario que ellos dos, tiene poco sentido del deber, borracho y sin darse cuenta de lo que pueda pasar por sus narices (tampoco su honradez está a salvo: durante el tiempo del estraperlo supo hacer dinero ilegalmente); ¿y qué decir, en última instancia, de la vida familiar de mujeres como la Charo, de quien sólo nos queda el recuerdo de su bulto sobre la cama, prácticamente como la ve casi a diario su marido? Las servidumbres de la profesión en cualquier estación climatológica y en contra de la propia Naturaleza (Mendaña lo resalta, envidiando a las aves de paso, inmediatamente antes de que Higinio le recomiende el agua medicinal para su dolencia, 14) las aceptan con humildad estoica, que es un modo de heroísmo; silenciosamente, incluso en los momentos excepcionales: alguien ajeno al oficio, el dueño de la taberna, de vida más cómoda, y no ellos, insistirá en el accidente de *Olaja* y otros (el de la *Albacete 119,* 23). Y no es por falta de sensibilidad, que la tienen; muy específica, pero la tienen. Con matices de hedonismo primario, como la comida, que sólo modestamente pueden satisfacer; pero también hacia el paisaje, tan observado en trayectos y tan poco gozados, cuando como en primavera, *Le entraban a uno ganas de revolcarse en el verde, de jugoso que parecía* (15); en la humanización del sol (*—Se levanta pronto, pero no empieza a trabajar hasta las once, como un señorito de oficinas,* 13); pero sobre todo con la máquina, la locomotora, *Olaja,* su compañera de trabajo, con la que se encariñan al máximo, en la que ponen su fe y esperanza durante el trance del accidente y que no los defraudará, igualada a ellos —cada uno en su misión—, incluso para la interpretación de sus personalidades: A veces le llamaban la señora; pero lo decían irónicamente, porque ellos no eran señores y una compañera de trabajo tampoco podía ser señora y a nivel puramente humano, en la conducta respetuosa y cariñosa, simpática, entre los hombres, pero sobre todo en la delicadeza de Higinio con su mujer, evitando la menor molestia, con la luz apagada, calzándose, descalzándose y vistiéndose fuera del dormitorio, en las escenas varias veces mencionadas.

El contraste entre las dos realidades subraya con firmes trazos la incidencia negativa de los factores materiales o realidad cruda sobre la intimidad noble o realidad tierna, que es lo que Ignacio pretende como tratamiento prioritario en sus creaciones. Esto es, que en Aldecoa, como ha visto Sanz Villanueva, "se sobreimpone una consideración humanitaria general"[25] a la carga testimonial, a la crítica social, cuya clave en su caso, según ha puntualizado G. Sobejano —quien sí considera narrativa social la de nuestro autor—, corroborando lo dicho por G. Gómez de la Serna, "no es el resentimiento ni el odio clasista, ni el espíritu de subversión ni la ira provocada por la injusticia, sino el amor."[26] Al mismo tiempo, estos valores interiores, cuando se manifiestan en conflicto con los de superficie, realizan denuncias muy concretas en ocasiones. Dos ejemplos, relacionados con la aceptación de la pobreza y el sacrificio en el deber. Varios hombres entablan en la cantina una conversación sobre la comida deleznable que cita Mendaña; hablan de ella como de algo natural: la degradación parece envalentonarlos en la porfía; hasta que Higinio rechaza contundent mente tales "porquerías" arguyendo que "donde esté un buen filete de carne, carne, ya podéis dejaros 23)"; instantáneamente se despierta en los demás la conciencia dormida: "—¡Hombre, qué cosas! A eso también me apunto yo" (23). Sólo bastaría un peldaño más para exigir el derecho a tan justo deseo. Tal como el que, en otro orden de cosas, apunta el mismo Higinio, acosado por el horario y en espontánea pero razonada amenaza: "Para mí [es] tarde. Mañana tengo servicio también. Hasta el jueves no descanso —protestó—. Yo no sé cómo está ahora organizado el servicio, pero lo estamos pagando bien unos cuantos. Me voy a acercar un día a la oficina para que me lo expliquen, porque con clavar un papel en la entrada y decir que hay que hacer tal y tal cosa creen que está arreglado'' (23–4). El centro problemático es la realidad *tierna*, golpeada constantemente y dolida; pero la denuncia de sus causas, y hasta una inteligible amenaza velada, tiene Del cotejo de esas dos realidades se desprende asimismo el sentido trascendente del relato. Dando prioridad al realismo de las almas, más profundo que el de las cosas, también presente, Aldecoa nos descubre la auténtica medida del cumplimiento y del riesgo anónimo en el trabajo cotidiano. En él el hombre entrega lo que posee, poco o mucho; aquí, su tiempo, sin lugar al ocio, su saber hacer, su honestidad, su máxima y silenciosa capacidad de sacrificio, evidente no sólo en una indignante ausencia de recompensa económica, sino hasta en la salud y en el escamoteo de la vida afectiva, concretada en la familiar. Todo lo cual nos lleva a considerar la relatividad trascendente de la experiencia humana; ésta nunca es objetiva, su carácter de vivencia 'límite' o irrelevante dependerá del techo humano que la soporte, definido a su vez por la condición particular de cada hombre, las circunstancias de su enclave social y su bagaje de cultura, entendiendo por ésta no la académica o libresca, sino, en su sentido amplio, una forma de cosmovisión. A la luz de esos baremos, los de los personajes, las que de *nuestra* perspectiva culturalista pudieran parecer 'pequeñas cosas' se convierten en 'grandes cosas': nos hallamos así ante la grandeza de la intrahistoria de unos seres humildes, parangonable a los más espectaculares gestos históricos. Con una triste ventaja a favor de aquélla; el sacrificio del anonimato, propio de las zonas de la sociedad llamadas *claustrales* por Aldecoa.

7. *Conclusión.* A través de las páginas anteriores hemos analizado cómo el efecto único final culminaba y centraba la expresión del tema, vertebrando, en consecuencia, el *corpus* de cuidadísimas elecciones estilísticas, técnicas y estructurales. Su pertinencia se estudia en lo concerniente a su triple dimensión temática (cotidianeidad, unicidad y excepcionalidad), y, dentro de la estructura, al diseño espacio-temporal, a la composición perfectamente equilibrada en sus partes (planteamiento o exposición, peripecia o sucedido, contrapunto y efecto final) y a la presentación de personajes, para terminar considerando los aspectos de contenido que matizan el sentido inmediato y el trascendente de la historia.

Convendría, a la vista del análisis, explicar en qué corriente literaria se inserta, y por qué razones, ''Santa Olaja de acero.'' No hay lugar para hacerlo con detalle. Pero sí para puntualizar que por su objetivismo, nacido tanto de recrear una realidad existente como de medir ésta según el rasero de sus protagonistas, por la relevancia dada al mundo interior, por el planteamiento trascendente del tema, en el plano ético; y, en el estético, por la influencia cinematográfica en la técnica, por la adecuación del espacio y del tiempo a las necesidades del tema, por la atención a protagonistas humildes o antihéroes, representativos de un sector social sin perder por ello su personalidad propia, por el cuidado y la adecuación del lenguaje, por otros esmeros literarios en la composición y en la adopción del punto de vista narrativo; en fin, por el perfecto equilibrio en el tratamiento de los aspectos sociales, materiales, externos, por un lado, y los individuales, espirituales, íntimos, por otro, "Santa Olaja" es uno de los cuentos más granados del neorrealismo literario español, una de las cuatro tendencias principales dentro de la generación de escritores del Medio Siglo, cuyas características he estudiado ampliamente en otro lugar.[27]

Hipólito Esteban Soler
Universidad de Santiago de Compostela
Santiago de Compostela, España

NOTAS

1. La irrupción pública de este grupo generacional fue, como es sabido, con ocasión del tercer Premio Planeta (fallado el 12 de octubre), que no le otorgaron a *El fulgor y la sangre* en la última y decisiva votación, aunque en todas las anteriores fuese por delante del *Pequeño teatro* de Ana Mª Matute, la ganadora. En tercer lugar se clasificó Juan Goytisolo con *Juegos de manos*. Para entonces, Aldecoa había publicado una treintena de relatos y era cuentista galardonado, con el Premio Juventud por *Seguir de pobres*, concedido el 18 de diciembre de 1.953.

2. Vid. sus comentarios en Ruiz Villalobos, Mª del C., y otros, "Ignacio Aldecoa ha nacido para vivir la vida y para escribirla," *El Español,* Madrid, 20–26 de marzo de 1.955, pp. 45–48; Suárez-Alba, "Ignacio Aldecoa, escritor en primera línea," *La Gaceta del Norte,* Bilbao, 10 de mayo de 1.968, p. 3; Fernández Braso, Miguel, "Ignacio levanta acta de los años de crisálida," *Indice,* nº 236, Madrid, octubre de 1.968, pp. 41–43, incluida posteriormente en su libro *De escritor a escritor,* Edit. Taber, Barcelona, 1.970, pp. 55–56.

3. Amablemente cedido —con otros que me han sido provechosos para matizar algunos aspectos de la actitud vital y literaria de Aldecoa, en un estudio que preparo sobre su obra— por doña Josefina Rodríguez de Aldecoa, a quien agradezco vivamente sus atenciones.

4. Aldecoa sigue de cerca la introducción ("El florecimiento del cuento norteamericano," pp. 13–33; cfr. especialmente las pp. 16–17) de A. Grove Day y W. F. Bauer a la *Antología de grandes cuentistas norteamericanos,* en la traducción de Salvador Bordoy Luque, Aguilar, Madrid, 1.960. El que el libro sea muy posterior a *Santa Olaja* no invalida nuestra exposición: Aldecoa en su inédito expresaba teóricamente lo que desde sus comienzos tenía asimilado en la práctica.

5. Son palabras de Poe en su reseña a los *Twice-Told Tales* de Hawthorne, donde aquél habla de ese "certain *single effect* to be wrought" que estructura el relato. Vid. Edgar Allan Poe, *Selected writings,* Penguin Books, Harmondsworth, Middlesex, England, 1.967, p. 446.

6. Se coloca así en la línea de búsqueda de una definición estrictamente literaria para el cuento que sus mejores teóricos persiguen; cfr. por ej., M. Baquero Goyanes, *Qué es el cuento,* Edit. Columba, Col. Esquemas, B. Aires, 1.967, especialmente las pp. 44–48.

7. Pág. 9 de la edición de los *Cuentos completos* de Aldecoa, tomo II, Alianza Editorial, El Libro de Bolsillo, nº 437, Madrid, 1.973 (*Santa Olaja de acero* ocupa las pp. 9–24), por la que citaremos; en adelante, las páginas constarán entre paréntesis junto a las citas. Todo subrayado en fragmentos del relato (excepto el nombre de la máquina, *Olaja*) es mío.

8. No haremos un catálogo farragoso de citas bibliográficas, pero nombremos siquiera a quienes se han ocupado de estos y los anteriores problemas verbales en el campo teórico: Gili Gaya, Weinrich, Badía Margarit, Alarcos Llorach... y, de pasada, Genette.

9. Vid. Badía Margarit, A., "Ensayo de una sintaxis histórica de tiempos. El pretérito imperfecto de indicativo," en el *B.R.A.E.*, tomos nº XXVIII, Madrid, mayo-agosto de 1.948, pp. 281–300, y nº XXIX, Madrid, enero-abril de 1.949, pp. 7–29; y Guillermo Rojo, "La temporalidad verbal en español," *Verba*, vol. 1, Universidad de Santiago de Compostela, 1.974, pp. 68–149.

10. Cfr. G. Genette, *Figures III*, Editions du Seuil, Paris, 1.972, pp. 158 y ss., y para el relato iterativo en general, el capítulo 3. "Fréquence."

11. El relato isócrono sería el hipotético grado cero de la velocidad narrativa. Genette lo define como "un récit à vitesse égale, sans accélérations ni ralentissements, où le rapport durée d'histoire/longueur de récit resterait toujours constant" (*Ibídem*, p. 123).

12. La escena es la unidad básica en la narración de acontecimientos; su papel, a juicio de W. Handy ("Toward a Formalist Criticism of Fiction," en *The Novel. Modern Essays in Criticism*, ed. de R. Murray Davis, Prentice-Hall, Englewood Cliffs, New Jersey, 1.969, p. 96), es tan decisivo como la imagen en la poesía. Varias escenas unidas solidariamente constituyen una secuencia. El resumen, tan estudiado desde los escritos de H. James y P. Lubbock, se diferencia de la escena por la carencia de acciones y palabras detalladas (cfr. Genette, *op. cit.*, p. 130).

13. El *flash* viene a ser una instantánea parcial, rápida y expresiva, desgajada de la hipotética escena a la que pertenecería.

14. Cfr. Badía Margarit, *art. cit.*

15. No se explicita que sea el bar de la ida, aunque lo parece. En cualquier caso no altera nuestro comentario: su conexión con el lugar de trabajo es semejante a la del bar de la mañana.

16. La kinésica contempla los gestos, posturas y manera. Vid. Fernando Poyatos, "Paralenguaje y kinésica del personaje novelesco: nueva perspectiva en el análisis de la narración," *Prohemio*, III, 2, Barcelona, septiembre de 1.972, pp. 291–307.

17. Vid. el apartado "Acción y contemplación" de sus *Ideas sobre la novela*, Revista de Occidente, col. El Arquero, Madrid, 1.970. Elisabeth Espadas ha resaltado a propósito de otro cuento ("Técnica literaria y fondo social del cuento *A ti no te enterramos*," *P.S.A.*, nºs 245–6, Madrid-Palma de Mallorca, agosto-setiembre de 1.976, pp. 163–173), las palabras de García Pavón, F. ("Semblanzas españolas: Ignacio Aldecoa, novelista, cuentista," *Indice*, nº 146, Madrid, febrero de 1.961, p. 4) sobre la originalidad de Aldecoa: "Esta conjunción de lo social con la emoción dramática o —valga la calificación— del costumbrismo social con la emoción dramática, da a la obra de Aldecoa una originalidad muy en contraste con la sosería e impopularidad propia del *objetivismo* al uso."

18. En terminología de C. Genette, op. cit., pp. 252 y ss.

19. Recurso tradicional que con otras variantes comenta Wayne C. Booth en las primeras páginas de su *The Rhetoric of Fiction*, The University of Chicago Press, 1.970[9]. Hay traducción española, con notas y bibliografía de Santiago Gubern Garriga-Nogués: *La Retórica de la Ficción*, Edit. Bosch, Barcelona, 1.974.

20. Que la novela contemporánea, a juicio de Aldecoa, se había preocupado por ahondar. Vid. Anónimo, "Ignacio Aldecoa, finalista del "Planeta" habla un poquito de cuentos y bastante más de novelas," *Ateneo*, Madrid, 1 de noviembre de 1.954, p. 7.

21. El primero es término de Puillon; el segundo, como el resto de las focalizaciones, de Genette, quien en su obra citada realiza un estupendo resumen y una aportación original sobre el modo y la voz narrativos (caps. 4. "Mode," pp. 183–224, y 5. "Voix," pp. 225–267).

22. J. Mª Martínez Cachero, "Ignacio Aldecoa: *Seguir de pobres*," en *El comentario de textos*, 2, Edit. Castalia, Madrid, 1.974, pp. 170–212.

23. Lo recoge J. L. Alborg en *Hora actual de la novela española*, Taurus, Madrid, 1.958, p. 263.

24. En *El fulgor y la sangre* se hace también esta sutil distinción: el de María en la sierra como maestra, "no era un trabajo duro, pero era una vida dura," Edit. Planeta, Barcelona, 1.970³, p. 132.

25. S. Sanz Villanueva, *Tendencias de la novela española actual*, Edicusa, Madrid, 1.972, p. 174.

26. G. Sobejano, *Novela española de nuestro tiempo*, Edit. Prensa Española, Madrid, 1.975², p. 397. El trabajo de Gómez de la Serna, "Un estudio sobre la literatura social de Ignacio Aldecoa" (vid. sus apartados centrales), está incluido en sus *Ensayos sobre literatura social*, Edit. Guadarrama, Madrid, 1.971, pp. 65–210 (La referencia de Sobejano, en p. 119).

27. Esteban Soler, H., "Narradores españoles del Medio Siglo," *Miscellanea di studi ispanici*, Università di Pisa, 1.971–73, pp. 217–370.

LA TECNICA DE LA OBERTURA NARRATIVA EN IGNACIO ALDECOA

Por

Ricardo Senabre

El acercamiento de la crítica a la obra de Ignacio Aldecoa se ha centrado especialmente en sus cuatro novelas largas, parte mínima y truncada por la muerte del maduro y ambicioso plan de trabajo que el escritor se había trazado desde los comienzos de su carrera. En cambio, los relatos cortos de Aldecoa —casi ochenta, en total— han merecido muy escasa atención, a pesar de que en ellos hay muestras que alcanzan algunas de las cotas más altas a que ha llegado el cuento en la literatura española. Hace años, en una revisión apresurada de la obra del escritor con ocasión de su temprana muerte,[1] me permití sugerir la urgencia de estudiar detenidamente los cuentos y relatos breves de Aldecoa. No parece que este *desideratum* se haya cumplido por el momento. A falta de un trabajo cuyo hueco es cada vez más visible, me propongo mostrar en estas páginas algunos aspectos acerca de la técnica constructiva del cuento, basándome para ello en el texto que transcribo a continuación:

Dejó el trozo de peine en uno de los ángulos del pequeño lavabo metálico con vaso en forma de cacerola. Con las palmas de las manos se planchó el pelo hacia la nuca. Silbaba. No se molestó en limpiar el peine; lo dejó donde lo había encontrado, junto al grifo, que daba un hilo de agua y no se podía cerrar. Orinó en el sumidero de la ducha. Recogió su reloj de pulsera de las cabillas del grifo, que tenía cortada la tubería de conducción. Distraído tocó ligeramente la lengua de jabón, áspero y azul, que resbaló, y unos instantes estuvo barqueando por el fondo del lavabo. Con el pañuelo se secó la melenilla. Se ahuecó en torno del cogote el cuello de la camisa, húmedo, gastado, seboso.

El cuarto olía a cañería de desagüe.

Desazogado estaba el espejo. Se le difuminaba el rostro en la neblina del cristal. Buscando dónde mirarse se alzó de puntillas. Movió la cabeza con repente de escalofrío para desorganizar de un modo natural el cuidadoso peinado. Un mechón se le desprendió. Tenía la camisa abierta, y hundiendo la barbilla en el pecho, conteniendo la respiración, miró. Y remiró entre cejas para ver el efecto en el espejo.

El cuarto olía a pared mohosa y a toalla siempre empapada y sucia. Le gustaba llevar el cuello de la camisa sin doblar. Le gustaba tener el pelo largo. Le gustaba mostrar el tórax por la camisa, abierta hasta el peto del mono. Le gustaba que un mechón le velase parte de la frente. Detalles de personalidad, pensó. Y se sintió seguro.

Un momento se fijó en el párpado que le cubría blando, fresco y brillante como la clara de un huevo, el ojo derecho. Se recogió las mangas de la camisa muy altas, por encima de los bíceps. Una izquierda de camelo, pensó, una entrada de suerte. Se dio saliva en la ceja del ojo lastimado, peinándola, y salió.

El cuarto era como una axila del sótano y sabía salado, agrio y dulzarrón.

Se trata de un fragmento perteneciente al relato "Young Sánchez," publicado por vez primera en el diario *Arriba* en julio de 1957 e incorporado luego al libro *El corazón y otros frutos amargos* (1959). El texto seleccionado corresponde al comienzo del relato, y está constituido por la descripción de diversas acciones mediante las cuales un personaje completa su aseo en un cuarto maloliente y sale después a la calle.

Las fases de la narración se organizan en tres partes cuyas fronteras respectivas tienen su correspondiente marca formal en las tres breves frases que se insertan al final de cada parte, referidas siempre al olor del cuarto de aseo. La primera es "el cuarto olía a cañería de desagüe"; la segunda, "el cuarto olía a pared mohosa y a toalla siempre empapada y sucia"; la tercera, que remata el fragmento, "el cuarto era como una axila del sotano y sabía salado, agrio y dulzarrón." Esta distribución, apoyada en tres cierres sucesivos de obvia semejanza, evidencia una voluntad constructiva que probablemente se reflejará en otros elementos del texto. Habrá que volver sobre este punto a lo largo del análisis.

"Dejó el trozo de peine en uno de los ángulos del pequeño lavabo..."

La primera frase, que aparentemente describe una acción del personaje, desempeña en realidad una función precisa de caracterización ambiental. Los escasos elementos puestos en juego sufren una sutil degradación. En el lavabo no hay peine, sino un "trozo de peine," indicio de descuido y abandono; por otra parte, es un lavabo "pequeño" que tiene "forma de cacerola." Se sugiere que está colocado allí forzada e improvisadamente, trasplantado a un lugar inadecuado para cumplir tal vez una función que no es la propia.

Tras esta primera pincelada ambiental, el autor enuncia un gesto del personaje, que se aplasta el pelo hacia atrás. Obsérvese que es una acción realizada después de utilizar el peine —parece, por tanto, superflua— y con cierta intención embellecedora: el autor selecciona la forma ''se planchó,'' frente a otras posibles —''se alisó,'' ''se estiró,'' ''se aplastó,'' etc.— por razones muy concretas. *Planchar* implica ciertas connotaciones de cuidado, de amor al orden, que contrastan con las impresiones suscitadas por la frase anterior acerca del lavabo. Pero, además, *planchar* es 'alisar con una plancha,' con un objeto más idóneo y seguro que cualquier otro. Aquí, la plancha son ''las palmas de las manos,'' que realizan la tarea que correspondería al peine. O el cabello es indócil al peine, con lo que la fuerza de las manos aparece potenciada, o el personaje confía más en ellas que en el peine, lo que también supone una potenciación subjetiva. Por otra parte, el detalle de plancharse el pelo ''hacia la nuca'' sugiere la longitud del mismo.

Recapitulemos: una acción aparentemente superflua, expresada, además, mediante la forma ''se planchó,'' insinúa la presencia de un personaje un tanto cuidadoso de su aspecto físico y seguro de sí mismo —acción de las manos que *planchan* el pelo—, por contraste con el aspecto mísero y descuidado del lugar. La seguridad y la satisfacción aparecen corroboradas por la frase siguiente —''silbaba''—, que, por su colocación, se presenta como consecuencia lógica de la anterior.

Esta técnica de la caracterización dual, con rasgos que apuntan alternativamente al personaje y a la habitación, continúa operando en las frases siguientes. La primera —''no se molestó en limpiar el peine''— acentúa la impresión de que nos hallamos ante un personaje más vanidoso que aseado, más inclinado a servirse de los objetos que a pensar en las necesidades de los demás. ''Lo dejó donde lo había encontrado'': alguien ha colocado allí el modesto trozo de peine para facilitar el aseo, sin duda porque la habitación es utilizada por más gente; alguien, desde luego, más cuidadoso que el personaje, que no lo limpia después de haberlo utilizado.

El abandono de la habitación es palpable en ese grifo que no se puede cerrar; se trata de un lavabo viejo, deteriorado, seguramente usado por muchas personas, lo que se hallaría en consonancia con el ''trozo de peine'' descrito antes.

Pero no sólo hay un lavabo, sino también una ducha, que el personaje aprovecha zafiamente, con la despreocupación de quien no utiliza lo suyo. El detalle del pelo húmedo y la acción de recoger el reloj de pulsera sugieren que el personaje se ha duchado. Hay que suponer que no está en su casa, pero la presencia de la ducha excluye la posibilidad de que se trate de un cuarto de aseo convencional (de un bar o restaurante, por ejemplo). Los rasgos descriptivos que siguen acentúan el aspecto mísero de la habitación, o, más exactamente, del lavabo, único elemento de la misma que se describe; la tubería del grifo cortada y el jabón ''áspero'' y muy gastado —una delgada lámina o ''lengua''— que ''estuvo barqueando'' en el fondo del lavabo —por hallarse atascado el desagüe, claro está— se hallan en la misma línea que el peine roto y el grifo que no cierra.[2] A continuación, el autor vuelve al personaje. ''Con el pañuelo se secó la melenilla'' reanuda el tema iniciado con el peine y continuado por la acción de plancharse el pelo. La frase que concluye esta primera parte es más compleja:

"Se ahuecó en torno del cogote el cuello de la camisa, húmedo, gastado, seboso."

De la "melenilla" se pasa al "cogote" (parte posterior y superior del cuello) en un movimiento paralelo al de plancharse el pelo "hacia la nuca" que se anotaba en la segunda frase. El "cogote" es el nexo descriptivo que permite articular el detalle anterior del pelo con el cuello de la camisa, que ahora aparece "húmedo, gastado, seboso." El personaje es de condición modesta y, como se sugería antes, lleva el pelo largo, hasta el punto de que se le ha humedecido el cuello de la camisa.

Si se relee ahora esta primera parte se advertirá la extraordinaria economía de medios con que ha sido compuesta. Dos temas básicos iniciales —el hombre y la habitación se reducen, por sinécdoque, al pelo y al lavabo. Pero las dos sinécdoques no son independientes, de igual modo que, en la escena, el personaje no se encuentra aislado de su contorno físico; el punto común, el gozne que une ambos elementos es la imagen del peine; a partir de esta disposición constructiva, las nociones pertenecientes al ámbito "lavabo" coinciden todas en expresar abandono, suciedad, desidia —el "trozo de peine," el "hilo de agua," la tubería cortada, el jabón áspero—, mientras que las relativas al personaje, menos numerosas y variadas, lo configuran como un individuo de escasos recursos, seguro de sí mismo, preocupado por su aspecto exterior, tal vez ligeramente envanecido.

La frase de separación introduce ahora, como en todos los casos, una percepción de tipo olfativo, sistemáticamente omitida en el cuerpo de la descripción. Esta circunstancia, ayudada por la puntuación del texto, aísla las tres frases y les confiere un estatuto particular, fronterizo, como ya quedó indicado.

La segunda parte revela análoga preocupación compositiva. Se inicia con una imagen nueva —"desazogado estaba el espejo"—. Este tema liminar desarrolla en el interior otro conexo —el de la mirada— a la vez que se prolongan y reafirman otros dos procedentes de la primera parte: el del pelo y el de la camisa. Los variados detalles del lavabo se han esfumado por completo, y en su lugar, como resto de caracterización ambiental, sólo aparece el espejo desazogado. En su calidad de elemento continuador del lavabo, el espejo reitera las connotaciones de suciedad y abandono desarrolladas por aquél —de ahí la elección del término "desazogado"—; por su situación al principio del enunciado, gracias a una leve alteración del orden de palabras esperable, "desazogado" es un correlato del "trozo de peine" con que se inicia el texto: ambos son objetos incompletos cuya función sólo puede cumplirse en parte; pero lo importante es que el espejo sirve de instrumento para describir la mirada complacida del personaje que se observa a sí mismo. Además de las tres referencias al espejo, ciertas reiteraciones léxicas recalcan la importancia de la mirada: "buscando dónde mirarse," "miró" y "remiró entre cejas para ver el efecto." El espejo y la mirada abren y cierran la escena, la delimitan, y encierran en su interior los elementos procedentes de la escena primera. Esquemáticamente, el orden de esta segunda parte es así: Espejo —mirada— cabeza/peinado —camisa— mirada —espejo. De la noción 'pelo planchado' deriva el movimiento de cabeza que ahora se describe para desorganizar "el cuidadoso peinado" hasta desprender un mechón; de la frase con que concluía la primera parte surge ahora "tenía la camisa abierta." Por su significado, los elementos de esta segunda parte acentúan algunas de las sugerencias relativas al personaje que se apuntaban en la primera: preocupación por el aspecto físico —llevada hasta el extremo de ponerse de puntillas, agachar la cabeza y contener la respiración para mirarse—, vanidad, autocomplacencia... La técnica de composición atiende a dosificar cuidadosamente la aparición y desaparición de los elementos descriptivos y, sobre todo, a establecer su engarce entre las diversas partes del texto. Si el lavabo, la ducha, el grifo, el jabón o el peine no se prolongan más allá del fragmento inicial, otros elementos, como el pelo o la camisa, pasan a la segunda parte, en la que surge un nuevo tema que se agota —el espejo— y otro —la mirada— que continuará luego su desarrollo. Podría hablarse de una técnica de obertura, con su entramado de temas principales y variantes de los mismos, festoneados por otros elementos de menor recurrencia que completan el conjunto.

Tras la nueva frase de separación —"el cuarto olía a pared mohosa..."—, la tercera parte se subdivide en dos segmentos diferentes, distanciados con nitidez por el punto y aparte. El primero de ellos constituye una recapitulación de datos anteriores, agrupados todas bajo la justificación común "le gustaba." Se hace así explícito lo que antes aparecía sugerido, y ello merced a una cuidada disposición de las correspondencias léxicas. Así, "le gustaba llevar el cuello" de la primera parte "se ahuecó en torno del cogote el cuello de la camisa"; la precisión "la camisa, abierta hasta el peto del mono" prolonga el enunciado "tenía la camisa abierta" de la segunda parte; el mechón que vela "parte de la frente" corresponde a "un mechón se le desprendió" de la parte anterior.

Pero no se trata de una mera recapitulación, sino que, además, algunos detalles completan ciertos rasgos caracterizadores sólo insinuados antes. Ahora sabemos con exactitud que el personaje lleva el pelo largo. Si se tiene en cuenta la fecha de publicación del relato —1957—, se advertirá lo significativo del detalle, su carácter singularizador, borrado años más tarde por la extensión de la moda. Por otro lado, la condición social modesta del personaje, apuntada en la primera parte mediante la referencia al cuello gastado de la camisa, se concreta ahora al indicar que la camisa está "abierta hasta el peto del mono"; el personaje es un obrero y lleva puesta la ropa del trabajo. El carácter un tanto vanidoso y autocomplaciente se aclara con la frase "le gustaba mostrar el tórax por la camisa"; obsérvese que también el tórax tiene su precedente en "la barbilla hundida hasta el pecho" de la parte anterior.

"Detalles de personalidad, pensó. Y se sintió seguro."

La irrupción del narrador en los sentimientos del personaje está en la línea de las cuatro repeticiones del núcleo predicativo "le gustaba." El autor ha abandonado en esta parte la técnica objetiva y "conductista" de la descripción, que para ser mantenida hubiera exigido tal vez un desarrollo más amplio, y adopta el punto de vista tradicional del narrador omnisciente, lo que le permite atribuir a los detalles enumerados un valor caracterológico referido al protagonista de la escena, que cifra la personalidad en rasgos superficiales. Nos hallamos, evidentemente ante una individualidad poco madura, que trata de singularizarse y destacar de su medio. En esta especie de obertura del relato, el autor anticipa las líneas maestras de sustentación sobre las que la narración se asienta.

El segundo segmento de esta última parte se inicia con la imagen del párpado hinchado. "Se fijó" deriva de la noción de 'mirar' repetida en la parte segunda. Allí, la imagen del espejo suscitaba la acción de mirar; ahora, mediante un proceso paralelo, tal acción conduce hacia el primer plano del ojo, cubierto por el párpado hinchado. La comparación con una clara de huevo, deliberadamente trivial, excluye todo ennoblecimiento, justifica irónicamente la triple adjetivación —"blando, fresco y brillante"— y suscita otras connotaciones conexas: mucosidad, transparencia, etc. Se sugiere, así, que el párpado se ha hinchado a consecuencia de un golpe reciente.

La frase posterior reproduce de nuevo un elemento ya utilizado —la camisa— y lo desarrolla; el personaje se recoge las mangas "por encima de los bíceps." Este afán de exhibir los músculos de los brazos —como antes el tórax— se hallan en consonancia con los rasgos de vanidosa presunción y preocupación por el aspecto físico insinuados anteriormente (en este sentido, la ordenación de los materiales es de una coherencia ejemplar). Pero, al mismo tiempo, el detalle de los bíceps, colocado a continuación de la referencia al párpado hinchado, ofrece una clave complementaria para identificar al anónimo personaje que acaba de ducharse y peinarse en un cuarto de aseo. Se trata de un boxeador o, mejor dicho, de alguien que pretende ser boxeador —si lo fuese no se vestiría con un mono—, captado por la mirada del autor después de un entrenamiento —no de un combate, ya que está solo— en un gimnasio modesto.

La frase siguiente, con la que el autor vuelve a introducirse en la mente del personaje, aclara más el texto, a la vez que traduce con exactitud una reflexión situada, lógicamente, en un momento posterior al de la contemplación: "Una izquierda de camelo, pensó, una entrada de suerte." Además de la precisión que supone recalcar que el golpe en el ojo derecho procede de un izquierdazo, lo importante es que las palabras vuelven a insistir en un rasgo psicológico del personaje: su seguridad, su jactancia, su sentimiento de superioridad, que le impide reconocer mérito al contrario —"una izquierda de camelo"— y le hace atribuir el golpe a la suerte y no a un fallo propio en la guardia.

La última frase, que expresa una acción derivada de la autocompasiva contemplación anterior, sirve, además, como enunciado de cierre, no sólo porque concluye con la forma verbal "salió," que semánticamente acaba la escena, sino porque la distribución de sus elementos léxicos revela un designio compositivo y estructural semejante al que ha presidido el resto del fragmento. En efecto: "se dio saliva en la ceja del ojo lastimado, peinándola" es un enunciado paralelo al que aparecía al comienzo del texto, después de la mención del peine: "con las palmas de las manos se planchó el pelo hacia la nuca." De este modo, los hechos desarrollados en el interior del cuarto de aseo comienzan con la acción de peinarse el pelo y concluyen con el gesto de peinarse la ceja. Todo se inserta, así, en un círculo cerrado que se aviene con la representación del espacio físico también cerrado y un tanto sórdido de la habitación, "como una axila del sótano," cuyos persistentes olores han invadido el recinto y lo han impregnado de tal manera que acaban por integrarse en él y se perciben como sabores: "sabía salado, agrio y dulzarrón.

A partir de esta obertura descriptiva, Aldecoa desarrollará el breve relato en torno a Paco *Young* Sánchez, mecánico de profesión, de familia humilde, admirado en su barrio y a punto de celebrar su primer combate como profesional. Gracias a un extraordinario sentido de la condensación, el fragmento inicial de la historia recoge todos los elementos esenciales de la misma, en virtud de una técnica narrativa que Aldecoa puso en práctica en otras ocasiones y que aguarda todavía una investigación cuidadosa y atenta.

Ricardo Senabre
Universidad de Extremadura
Cáceres, España

NOTAS

1. "La obra narrativa de Ignacio Aldecoa (Vitoria, 1925–Madrid, 1969)," en *Papeles de Son Armadans*, enero 1970, pp. 5–24.

2. Evidentemente, el grifo de ahora no es el anterior, que se caracterizaba por su goteo. Éste se halla inutilizado por tener cortada la tubería; se trata, claro está, del grifo del agua caliente, que alguien ha manipulado deliberadamente para hacerlo inservible. El detalle acentúa con sutileza el aspecto mísero y un tanto mezquino del lugar.

AMADIS EXISTENCIALIZED: A POSTHUMOUS TALE BY IGNACIO ALDECOA

By

Janet W. Díaz

Aldecoa, considered by many critics the best prose stylist among postwar writers, was also an accomplished Objectivist (the best example in his novel *Gran Sol*).[1] Objectivism, however, was but one mode cultivated by Aldecoa, who can be described in the final analysis only as personal and eclectic. Throughout his production, the careful reader will find lyricism, touches of the Baroque, and a pervasive irony which took many forms—satire, burlesque, sarcasm, travesty and parody. While Aldecoa's enduring concerns throughout his writing career were essentially identical with those of the cultivators of the *novela social*—reform-oriented sociopolitical criticism—his methods and techniques are more varied and imaginative, more literary in the best sense of the word, than those characterizing the bulk of the self-limiting and impoverished prose grouped under the rubric of "social" literature.

Aldecoa's "Amadís" exhibits elements of several literary forms: parody (insofar as there is imitation of a recognizable model); burlesque (in the treatment of a "low" subject in an old "high" style); travesty (in its savage reductiveness); and satire (in its juxtaposition of the actual with the ideal). There is less of travesty and sarcasm, however, than in Aldecoa's other works which treat the same major theme as "Amadís," the parasitism and aboulia of the bourgeois (for example, the title tale in the collection, *Los pájaros de Baden-Baden*, or "Ave del paraíso" in the same volume). The primary, most significant informing principle is satire; the foremost structuring technique is parodic inversion. Aldecoa's "Amadís" is not parody in the original sense which for most authorities implies limitation of a style (only occasional echoes of the grandiose rhetoric of the chivalresque narrative are present). It is in characters (subjected to inversion) and in parallel events (reductively deformed) that the parodic elements inhere. Authorial intent is first satiric and only secondarily parodic; while Aldecoa uses as his point of departure and major metaphor the negative analogy between his updated Amadís and the prototypical chivalric hero, the target is not the chivalric narrative *per se* but human imperfection, particularly as associated with the so-called leisure class.

"Amadís" is one of only two short stories published posthumously in Alicia Bleiberg's edition of Aldecoa's *Cuentos completos*.[2] The other, a much shorter tale entitled "Party,"[3] shares with "Amadís" a subtle but ferocious irony; both are merciless exposés of certain absurdities of contemporary upper-class society, offering simultaneous critiques of what editor Bleiberg elsewhere classifies as "la abulia de la gente acomodada," a frequent target of Aldecoa's. There is also implicit in each a broader denunciation of the moral decadence and general degradation in our time of human values, normally treated by the satirist rather than the social critic. The point of convergence, the common ground allowing Aldecoa the social critic to use as his point of departure the *Amadís de Gaula,* is suggested by Menéndez Pelayo's evaluation of that novel as "una de las que por más tiempo y más hondamente imprimieron su sello no sólo en el dominio de la fantasía *sino en el de los hábitos sociales"* (italics mine).[4] One need only read Menéndez Pelayo from a posture of irony or cynicism to have the nucleus of the artistic inspiration or genesis of "Amadís," a scathing denunciation of certain social usages and behavior characteristic of the present yet not necessarily limited by time. "Amadís" echoes the tone and ambiance of the stories previously cited ("Los pájaros de Baden-Baden," "Ave del paraíso"), tellingly reproducing the existential void peculiar to the jet-set and sub-culture of international drifters who populate these tales as well as "Amadís." Additional points of contact might be adduced, if such were the purpose of this essay, for in "Ave del paraíso" Aldecoa makes use of chivalric, aristocratic and monarchical motifs with still more mordant sarcasm.

"Amadís" is at once a satire of modern materialism and a parodic inversion of the psychology, atmosphere, events and ideals of the chivalric model. Aldecoa was sufficiently versed in literary theory to have known not only the content of the prototypical *Amadís de Gaula* (Zaragoza, 1508), but to have been aware of general structures and techniques of the chivalresque genre, on the one hand, and studies of courtly and chivalric love, on the other. In brief, he possessed the prerequisite conceptual and theoretical literary background for producing a parodic satire both in terms of specific incidents and characters and of the values and world view reflected by the original. He was presumably aware of recent, well-publicized critical studies done in Spain postulating common origins for Amadís and Lancelot, which would explain his choice of the otherwise unlikely name, Genoveva (a variant of Guinevere) for the updated, upbeat lady love of his contemporary knight.

Contrary to prototypical parodic practice, however, as already noted, Aldecoa does not rely primarily upon imitation of the language or style of his model. In addition to a limited number of rather distant echoes of the characteristic rhetoric, there are deliberately anachronistic touches in the portrayal of the protagonist, combined with inversion of the knightly model, coincidences of setting, and the bizarre, evocative name which are immediately obvious. These invite the critic to seek more subtle parody or to postulate further parodic intent. But "Amadís" is not susceptible of classification exclusively as parodic satire, either, due to the presence of expressionistic elements. If a label drawn from Spanish literary history were assigned the technique employed in "Amadís"—a risky and perhaps unnecessary undertaking —it would have to mention the *esperpento* which Valle Inclán defined (via the autobiographical "mask," Max Estrella en *Luces de bohemia,* 1924) as the image of classical heroes and values reflected by a concave mirror. In the same play, both theoretical statement and culmination of the genre, it is affirmed that "El sentido trágico de la vida española sólo puede darse con una estética sistemáticamente deformada,"[5] and it is precisely this type of systematic deformation (inversion and reduction) which Aldecoa employs in "Amadís."

Pure parody does not involve deformation but "subversive mimicry," and is a "mirror of a mirror, a critique of a view of life already articulated in art."[6] What Aldecoa does in "Amadís" lies between parodic satire and the *esperpento.* The inversion-deformation is applied primarily to characteres and values (cf. the *esperpento*) and in lesser degree to setting, while a principle of reductive parallelism applies to events. Relatively little use is made of fantasy or imagination; Aldecoa cleverly employs negative aspects of contemporary civilization, substituting these wherever possible—and it is usually possible—for the fantastic or for absurd invention. Thus, aesthetic deformation of external reality results from a process of negative selection rather than invention, of extrapolation to the present of the knight-errant (the wandering gentleman who did not work with his hands but lived off the labors of others). By comparison with a system of abstract values and ideals, contemporary reality *is* an *esperpento.* Aldecoa has only to juxtapose the two to obtain his satiric effect, neither fully Horatian nor Juvenalian but with elements of both.

No discussion of Spanish parody of any novel of chivalry could defensibly omit mention of *Don Quijote,* though Cervantes' novel and Aldecoa's tale are vastly different not only in length but in theme, tone and *Weltanschauung.* Aldecoa's treatment similarly inverts the physical attributes of the knight: youth and beauty, strength and endurance are replaced by age and decrepitude, physical debility and hypochondria. Like Cervantes, Aldecoa eschews the exotic spatial and temporal dimensions of the chivalric originals in favor of a contemporary here and now; the time is clearly the present and the setting (Paris and unnamed Mediterranean islands, probably specifically Ibiza, given the "beatnik" infestation) is well within the orbit of Spaniards of Amadís' class. Nor does Aldecoa exploit any potential for exoticism or touristic appeal in these settings; he shows rather the seamy or less attractive aspects. Much action of the first segment takes place in a run-down bar: "velador antiguo," "incómoda silla," "camarero [de] piernas enfermas y ajenadas," "el mármol del velador con escarchadas, hidrográficas cuencas" (366). Cervantes in similar fashion presented an impoverished and generally unattractive reality contrasting with the grandiose conceptions of his knight's fantasy. Aldecoa's Amadís evades his surroundings via flights of memory or daydreams, but with none of the idealism of the knight of La Mancha.

Don Quijote, parodic traits and events notwithstanding, remains devoted to chivalric ideals and to abstract justice; the "impossible dream" has not lost its beauty in a world which impedes its realization, nor does self-interest take precedence over altruistic concerns. In Aldecoa's far more cynical world, the dreamers have disappeared; his Amadís strives not for ideals but for objects, objects which despite definition as works of art or status symbols are objects nonetheless. The ego reigns supreme, and Amadís and the tale's secondary characters without exception pursue not the Grail but Mammon, with whom not even Eros can compete.

Aldecoa's version first shows Amadís de Gaula in modern-day Gaul, the Paris of boulevards and gasoline fumes, pollution and materialism. World-weary and filled with ennui, his lethargy is pierced only by the imperious necessity to continue his pursuit of money. The opening lines are a masterful presentation of combined character and ambient, understated, allusive and elliptical, yet foreshadowing and prefiguring much of what is to follow:

> Tras de dormir durante muchas horas gustaba de prolongar treinta o cuarenta minutos su estancia en la pereza, dormivelando, transmutando ensoñaciones, recuerdos y proyectos. Era su prólogo a la levantada, su contacto nebuloso con la realidad, la fuerza que buscaba para entrar en el nuevo día. La fortuna pisaba queda en el umbral, los pasados buenos tiempos hacían transparente y nítida la apelmazada tiniebla, donde angustiosos vértigos venidos desde lejanas perspectivas habían alterado y a veces interrumpido el descanso. Se encogió y esperó la llegada mansa y anegante, que se presentaba indistinta desde el pasado o desde el porvenir, pero no logró concentrarse; todo fue una lucha inútil hasta que el timbre del teléfono le reclamó con su exasperación.
>
> Una hora después caminaba despreocupado, pero no alegre. La mañana de hojas caídas, nubes bajas, río musculante y gasolina, avanzaba enérgica... (365)

The protagonist's inclination to sloth rather than heroic undertakings, his predilection for day-dreaming rather than action, his self-indulgence rather than discipline or altruism, his aimless, non-productive, parasitic existence are all enunciated in these lines, which simultaneously insinuate the motif of the past "Age of Gold."

The still-nameless focal character, not individualized even by the use of subject pronouns, is initially as nebulous as his own contact with reality, a tenuous relationship undermined by predilection for directing his thoughts to past or future in obvious distaste for the present. And it is only in the present that reality can be apprehended: the past is no more, the future is not yet. His flight from temporality takes on ironic implication when Amadís' name is revealed, reductively echoing the first chapter of "Amadís Sin-tiempo." The minimalization of concrete, historical references to the present (only carefully selected details and artifacts indicate the epoch) reflects the lack of historicity and temporal precision typical of novels of chivalry with their exotic chronology and geography. However, since Aldecoa's "Amadís" is less a parody of the chivalric genre than a satire of the degeneration of knightly ideals in the present, he cannot totally eliminate time indicators. While flight from present reality serves to enunciate from the outset the existential inauthenticity of Amadís, the "Sin-tiempo" analogy continues to accumulate additional ironic connotations, as will be seen below.

In a variant of the reverse pathetic fallacy, the lethargic protagonist is contrasted with an external world where Nature, autumnal and disfigured, is nonetheless more vital then he, a bit of irony which must be appreciated in retrospect, for the reader is not informed until later of the correspondence between the season and the "autumnal" Amadís as conveyed by mention of his "blanco bigote recortado anacrónicamente" (366) and "la patilla plateada" (366). These allusions to physical decadence are reinforced later when habitúes of a psychodelic bar refer to the protagonist repeatedly (372) as "el viejo." The carefully selected aspects of external reality—"hojas caídas, nubes bajas, río musculante y gasolina"—do not belie conventional connotations of the season, yet "la mañana avanzaba *enérgica* (italics mine).

The notion of Amadís' indolence communicated in the opening lines is reiterated by reference to "su falta de total dominio, de relajamiento" (366) upon meeting the fat man in the bar, and the following description of his attitude in the antique shop:

> El caballero sentado en una silla apostillaba, parco, preciso, y aparentemente distraído. La tienda de antigüedades era un lugar grato y él se ausentaba por los espejos como estanques y pozos de brocales dorados, acariciaba las nobles maderas de las mesas y se apoltronaba en las butacas reconociendo su época, su tapizado, sus muelles. Su sensualidad fluía hacia los retratos de personajes de otrora casi concediéndoselos como antepasados. (366–67)

The above passage offers a variation of the "Sin-tiempo" motif, underscoring Amadís' preference for the past and his evasion of present *circunstancia*, both reiterative of his anachronistic personality and suggestive of existential inauthenticity. Reference to "el caballero," occurring ten times in two pages before mention of his name and in the absence of subject pronouns (an epithet reiterated thereafter with comparable frequency, some sixty times in the course of the story) is often gratuitous and so insistent as to oblige the critical reader to deal almost from the outset with its ironic or satiric intent.

Labelling Amadís "el caballero" proves ironic in both the ancient and modern contexts, for he is neither knightly nor gentlemanly. Some inversion of knightly

107

traits has already been observed; of the gentleman, Amadís has only the appearance, the sham. While the incomplete exposition leaves some mystery as to his past and even his present activities, Amadís is a man of former wealth and position whose expensive tastes have exhausted his fortune. Totally materialistic and egocentric, impoverished morally even more than economically, he is in fact a gentleman swindler, a speculator and confidence man who will do almost anything for money so long as it can be done with a semblance of decorum. He appears as the accomplice of thieves or dealers in stolen property in the initial segment where he prostitutes his culture in the evaluation of purloined Chinese art, while proferring a ''gentlemanly'' protestation of disinterestedness:

> Fue ultimada la venta y el hombre gordo recibió un cheque. El caballero se interesó en el momento de la despedida por una figurilla de jade ofrecida en el escaparte. Inquirió y sonrió con melancolía a la respuesta de su valor.
> En el automóvil del hombre gordo, el caballero contemplaba la actividad del bulevar con el distanciamiento que produce la vida de un hormiguero.
> —¿Dónde puedo llevarle a usted? —preguntó el hombre gordo.
> —A mi casa.
> —Su comisión son dos mil francos.
> —Para un amigo no hay comisión. Sencillamente es un favor.
> El hombre gordo le miró al soslayo y resquebrajó los labios en un fruncimiento.
> —Bien.
> El caballero silbaba una musiquilla relacionada con otro tiempo, otras fortunas y bienandanzas. Llegaron a la casa.
> —Hasta otro día —dijo jovialmente el caballero. —Ah: querría pedirle un pequeño favor.
> Los ultrajantes labios del hombre gordo sonrieron complacidos.
> —¿Usted dirá?
> —¿Podría prestarme dos mil francos?
> —Naturalmente —respondió.— Naturalmente, amigo mío. (367)

In the foregoing context, further elaboration of the irony inherent in the appellations *amigo* and *caballero* could only be redundant.

Aldecoa follows closely in his characterization of Amadís two figurative connotations of *caballero* listed by the *Diccionario Manual* of the Real Academia Española,[7] the first a figurative use of *caballero andante*, ''Hidalgo pobre y ocioso que anda vagando de una parte a otra,'' and the second, given as a figurative meaning of *caballero de [la] industria*, ''Hombre que con apariencia de caballero vive a costa ajena por medio de la estafa o del engaño.'' Amadís is subsequently seen borrowing money, buying luxury items including a trotting horse, automobile and yacht for which he cannot pay, and inventing a corporation wherein his own investment is nil, although his benefits promise to be astronomical, exploiting his charm, urbanity an contacts to entice bored ladies of high society as investors in "Alegría, S. L." His personal relationships are scarcely more admirable than his business dealings.

It is in the opening pages, during his rendez-vous with the fat man in the bar, that the knight has his only encounter with a dragon, "dragones chinos, pintados en sutilísimos papeles," as he corroborates dates and dynasties. "El caballero asentía y su mirada pericial corría por el dibujo, desde la espantosa cabeza hasta la espada heridora, desde la retorcida y agónica cola hasta el aplastado perfil del guerrero" (366). Amadís de Gaula's titanic battle with the monstruous Endriago is thus reduced to the limits of absurdity. In a comparable reduction, whereas in the *Amadís de Gaula* the infant is cast into the river in a chest (echoing the watery origins of Lancelot and water motifs in the Tristan tale), Aldecoa's Amadís is twice situated in proximity to the river in the opening pages, but like the character of the protagonist, the stream has been subjected to a negative distortion, judging by the context ("río musculante y gasolina") and adjectival suggestion of pollution ("relente fluvial," p. 366).

We see nothing of the youth of the protagonist; in the updated "Amadís" the brave young knight of pure ideals and uncorrupted body and soul yields to an aging playboy, self-indulgent, physically and morally decadent. Knight errantry has become an errant pattern of life, as the refined vagabond indulges his childhood whim for island-hopping. The lack of historical precision of the chivalric models is echoed by a vague chronology, contemporaneous yet tinged with unreality, in which time's passage, marked by the changing seasons, is indicated by the subtitles of various segments: "París, un otoño..."; "En una isla, durante un invierno"; and—with ironic reverse symbolism, the suggestion of spring coinciding with death—"Los almendros han florecido." Additional sub-titles are employed to suggest burlesque parallels with the chivalric original in the sections "Aventura en la mar" and "El caballero desciende a los infiernos," as the models are again subjected to parodic inversion and the reductive techniques already observed. Resulting events are themselves so meaningless, futile or absurd as to challenge the objective reality of what is narrated, bringing into question once more the existential authenticity of the protagonist and negating in some measure the reality of time. Significantly, the protagonist murmurs a verse of Apollinaire: "Les jours s'en vont je demeure" (377), a restatement of the "Amadís Sin-tiempo" motif in a still more ironic context as the reader has just learned that Aldecoa's Amadís is perennially "sin tiempo" due to the expiration of financial periods of grace and his inability to pay.

After the initial segment, the scene shifts abruptly from Paris to an unidentified Mediterranean island. Amadís has acquired a "princess," mistress or concubine, whose name, Genoveva, further evokes the chivalric cycle in a loose parody occasionally reinforced by specific vocabulary, as witness this dialogue between Genoveva and her knight:

—Los caballeros deben trabajar para las princesas.
—Sólo las princesas encantadas por magos crueles sufren la condena
de la cocina —dijo Amadís sentenciosamente—. Vayamos a la cocina.
(371–72)

Amadís also acquires a "squire," a nameless young hippy complete with motorcycle and an obvious attachment to Genoveva, who becomes the constant companion of the aging knight. The chivalric antecedent is made specific in a conversation between "los cuatro jinetes de la barra" (372), one of whom is the aforementioned nameless young hippy and another a woman with something of the soothsayer as suggested by her "largos collares superpuestos... [y] su falda de adivina" (373) who delivers this speech: "Piénsatelo bien, chico. No vayas a seguir... de escudero todo el invierno" (373).

The notion of knightly combat is present in Aldecoa's choice of language when Amadís receives two impatient creditors: "El caballero pasó de un relajado estar a una tensión ballestera" (368), a tension indicative of internal fears of the protagonist which are not betrayed by the consummate actor who knows his role well and plays his part immutably to the end, anticipating his creditors and taking the offensive:

Por favor, señor. Decía Montesquieu: "Los preámbulos de los edictos de Luis XIV resultaron más insoportables a los pueblos que los propios edictos." Bien, no he pagado, pero pagaré. Simplemente quiero un nuevo plazo. Dependo de un negocio.
El caballero, desafiante en su estudiado hermetismo, se atusó el bigote una y otra vez, haciendo más patentes su dignidad y solvencia. (368)

Amadís' "gentlemanly" reserve and aloofness, as he maintains himself above and beyond the sordidness of commercial intercourse (observable in the passages already quoted which describe his comportment in the antique shop and with the fat man in the automobile) is seen to be a studied pose, one which here combined with his expertise in the exploitation of *intereses creados* not only obtains him an extension by suggesting the complications which would result from repossession of his horse and automobile, but dangles before his greedy creditors the prospect of his also buying a yacht. However temporary, his success for the moment is total:

—Nos vamos —dijo el hombre de las manos aleteantes—. Tenemos muchas cosas que hacer.
—¡Ah! Los negocios... —dijo el caballero cargando las suspiradas palabras de un vago matiz de desprecio. (369)

The chivalric novels' atmosphere of enchantment is evoked during Amadís' discussion of his plan for land development: "No es lo mismo fundar una sociedad en París que fundarla en una isla. Una isla está siempre llena de misterio, y desde luego, encierra un tesoro" (371). The treasure, however, is but the fruit of successful capitalistic speculation, and Amadís de Gaula's enchanted "Insula Firme" has become an overdeveloped Mediterranean resort, awash with hippies and pollution:

> En la arena seca y mancillada negreaban los grumos de petróleo, y los maderos y cañas —casi blancos—, los botes —azulinos, malvas, alimonados— de los líquidos bronceadores y los envases de aceite de oliva —rojos y lechosos— daban al rincón un envilecimiento de vertedero. (377).

Pollution, disfigurement and degradation of the setting, already noted in descriptions of Paris, find an echo in portrayals of island and sea.

The treatment of specific episodes wherein satiric degradation of the antecedent is obvious offers yet another instance of related technique. The *Amadís de Gaula* contains several sea-borne or oversea adventures, more than one involving demonstration of purity and constancy in love, determined by supernatural means, and qualifying the knight to realize still greater deeds. The "sea adventure" in Aldecoa's "Amadís" involves nothing more than an escapade by Genoveva and the squire, who take advantage of the knight's confinement to bed with a cold to visit a remote (but also garbage-strewn) beach where they indulge in a bit of open-air love-making.

Aldecoa's inversion of the values of his mòdel is consistent. Valor, honor, fidelity, love—paramount in the chivalric prototype—are subordinated to materialistic interest. Not even lust is stronger, as becomes apparent when the sorceress-soothsayer advises the squire to assert his own interest in Genoveva: "—Quítasela —dijo suavemente. —El viejo tiene entre manos un negocio. Es mejor esperar" (373). The principle of the chivalric models whereby virtue is always triumphant is nowhere in evidence (perhaps because virtue is not to be found); similarly, the notion of the knight's inexhaustible vitality has been replaced by a puerile succumbing to the slightest infirmity:

> —No es necesario este martirio, estas caldas —dijo desvaídamente Amadís, quejándose con los ojos cerrados.
> —Sí es necesario para que te quites ese horroroso —silabeó la palabra— resfriado —respondió Genoveva.

Certain other details, apparently gratuitous, would seem to have no function but to reinforce the general atmosphere of parody. Thus, the name of Amadís' hound is "Roldán" (376), and Amadís' visit to the discotheque is described in terms recalling the prototypical tests of knightly valor: "codos y manos a los derviches danzantes ...Las luces de colores corrían como serpientes por la sala enmascarándolo todo, obsesionándolo todo (procedimientos torturantes de la Gestapo, musitó el caballero recordando inquisiciones). En el salón los derviches formaban un solo y total monstruo" (378). In the same vein is the metaphorical reference to Genoveva's sally to dance with the squire: "Los jóvenes partieron al combate con la sonrisa en los labios..." (379). Further examples are found in the description of the psychodelic hippy hangout (372, 373-74).

It is characteristic of the chivalric narrative that the knight conceal his name; this procedure is reflected in Aldecoa's tale, wherein the protagonist is at first anonymous and other characters remain nameless, the most important being the squire (and surrogate son of Amadís). In a narrative where anonymity is less the exception than the norm, the few names given acquire additional significance; the appellations Amadís, Genoveva and Roldán in this light argue for Aldecoa's familiarity with the total context of the chivalric narrative and related critical writing. In such case, it becomes logical that the unnamed young squire should (by virtue of his attributes as son) also be involved with the death of the knight, as presumably happened with Amadís de Gaula's son, Esplandián, in the lost original version of the narrative:[8] "el *Amadís* primitivo en tres libros acababa con la muerte del héroe a manos de su desconocido hijo Eplandián y con el suicidio de Oriana..." Consistent with other inversions, however, Amadís' Lady does not commit suicide. On the contrary (and here it is apparent that Guinevere is more important in the genesis of Genoveva than Oriana), after the funeral Genoveva and the squire "salieron a la terraza cogidos de la mano" (382), obviously overflowing with youthful vitality and eroticism.

In the section "El caballero y la muerte," Amadís meets death by absurd accident, neither bravely, adventurously, nor even existentially aware, when his anachronistic horse-drawn carriage is struck on a sharp curve by his own automobile, driven by Genoveva. Typically absorbed in his memories of times past, unaware of present surroundings, Amadís forces his horse onto the pavement:

> Cruzaba el caballo con su andadura, insolentemente académica, y proseguía el caballero absorto en sus recuerdos. Venido de lo lejano se hizo presencia un ruido, repentino como un vendaval, agudizado en la quejumbre. El caballero sintió una poderosa embestida y todo su cuerpo fue dolor. Después rumores inciertos, aspereza en los dedos, aroma de lilas o de gasolina y amargura y ceguedad. En el sembrado de cebada, como un pelele de otomana, yacía desmadejado el caballero. De la cabeza fracturada, algo blando y rosáceo se mezclaba con la sangre de una herida. (381)

In the indirect narration of the accident, chivalric echoes are once more ironically present: "El caballero sintió una poderosa embestida"; while the vagueness of "rumores inciertos," "aroma de lilas o de gasolina" accentuates the grotesque in the allusive presentation of the mortally wounded knight.

Via the implicit contrast between the ideals of the knightly model and the abject materialism of the contemporary namesake, Aldecoa offers an indictment of the deterioration of values in our time, at the same time criticizing the parasitic existence of a class for whom *noblesse oblige* has seemingly become obligatory indolence. The alienation of the characters, the absurdity of life and death as experienced in the story, the utter lack of authenticity and the absence of all meaningful com-

Janet W. Díaz

munication contribute to situate the story in a serious existential context which belies
the seeming lightness implicit in the burlesque technique.

Janet W. Díaz
*University of North Carolina
Chapel Hill, North Carolina*

NOTES

1. *Gran Sol* (Barcelona: Noguer, 1957), awarded the Premio de la Crítica for the year of publication, was not immediately or universally recognized for what it was—in my opinion, Spain's most nearly perfect contribution to the Objectivist narrative. J. Corrales Egea, for example (*La novela española actual* [Madrid: Cuadernos para el diálogo, 1971]) does not even recognize it as a novel, but classes it as a [libro de] "viajes...inspirado en la pesca de altura al norte de Irlanda" (p. 131). Rodrigo Rubio (*Narrativa española* [Madrid: EPESA, 1970], pp. 81–82) does not mention *Gran Sol* in his brief discussion of Aldecoa. Conversely, however, Ricardo Senabre in his essay "La obra narrativa de Ignacio Aldecoa" (*Papeles de Son Armandans*, CLXVI, enero 1970) is of the opinion that in *Gran Sol*, the novelist "ha llevado hasta el extremo la objetividad apuntada en las novelas anteriores...," a verdict espoused by José Domingo (*La novela española del siglo XX*, Vol. 2 [Barcelona: Labor, 1973]) who adds that "quizá sea ésta su mejor obra, prodigio de ambientación, de veracidad, de técnica constructiva, aunque adolezca de cierta frialdad testimonial" (p. 100).

2. Edited by Alicia Bleiberg (Madrid: Alianza Editorial, 1973), 2 vols. All quotations from the story "Amadís" are from this edition; pagination is given in the text. "Amadís" is printed at the end of Volume II, pp. 365–382. The small number of posthumous texts published is the result of the refusal of the writer's widow to publish anything regarding which she was not absolutely certain that her husband considered it finished.

3. In Vol. I of the Bleiberg edition, pp. 439–446.

4. Cited in E. Díez Echarri and J. M. Roca Franquesa, *Historia general de la literatura española e hispanoamericana* (Madrid: Aguilar, 1960), p. 232.

5. Cf., for example, the discussion by José Domingo, *op. cit.*, vol. I, p. 64.

6. See Roger Fowler [ed.], *A Dictionary of Modern Critical Terms* (London and Boston: Routledge and Kegan Paul, 1973), pp. 137–38.

7. I cite from the second edition (Madrid: Espasa Calpe, 1958).

8. See Armando Durán, *Estructura y técnica de la novela sentimental y caballeresca* (Madrid: Gredos, 1973), pp. 102 ff.

CON IGNACIO ALDECOA, CITA PENDIENTE

Por

Manuel Andújar

Yo pretendí escribir sobre Ignacio Aldecoa, desde ángulo de propia percepción y apoyado en atisbos intuitivos. ¿O acaso lo hice en sueños y también fue, envuelto por esa bruma, cuando resolví apelar al consejo de un amigo común, ligado personalmente al gran narrador y que recibió de él, por boca de sus inmediatos mayores, particulares datos y referidas experiencias, además de los que, en directa memoria, le impresionaron de los años finales del autor de "Santa Olaja de acero"?

El recuerdo cobra aquí extraña nitidez. Cierta objeción a mi prurito adjetivador, en aquellas páginas, no me afectó tanto como su desbroce de confusionismos y falsas apariencias, amén de las puntualizaciones acerca de varios colegas presuntamente afines a Ignacio Aldecoa.

De acuerdo con el cuasi testimonial reparo, muy perspicaz de otra parte, anulada quedaba mi tesis del vínculo umbilical de Aldecoa respecto a un "exilio interior," en mayoritaria porción todavía inédito, inexplorado. Ninguna razón plausible me asistía al aseverar que para él constituyó la censura traumático impedimento. Al que atribuí un papel de suasorio pastor de un grupo coetáneo y concorde, existió en soledad, con notables salvedades, entre las que figuran Carmen Martín Gaite, Jesús Fernández Santos, Dionisio Ridruejo, Rafael Sánchez Ferlosio, Medardo Fraile, Daniel Sueiro y pocos más.

Aldecoa, itinerante de seres y caminos, ejerció su ministerio humano con prioridad inequívoca de vocación y dedicación literarias, al margen de capillas ideológicas y sin las coberturas editoriales que se produjeron en el decurso del "realismo social."

Al despertar, todos mis "mitos Aldecoa" se habían desvanecido, se incorporaron a la pesadilla, apenas se mantenía en pie el vislumbre de que desempeñó su función fabuladora ahormado por las degradaciones de una comunidad en que se agarrotaban las más importantes espontaneidades vitales y mentales.

El clima público de asfixia y confinamiento engendra una cotidiana patología. La facultad y obligación críticas son sometidas a un estrabismo alucinante. Si la revolución suele devorar a sus hijos, la semiclandestinidad, a la española, bajo el franquismo, rezumada la guerra civil, podía —presumo— atormentar y desnaturalizar a grados y niveles inverosímiles, en tanto denunciaba, cual fenómeno genérico, la tortura material.

Aldecoa se notó cercado por este juego endógeno de tensiones, de sañas potencialmente antropofágicas. Ya que no concurrimos a los fragmentados espectáculos, y apenas se advierten, ahora, algunas cicatrices y determinados módulos de crispación anímica, temperamental, lógico es desistir de la reconstrucción de un entorno y hemos de ubicar a Aldecoa aislado de significativos compañeros, no exento de amargura, pero firme en su plena consagración a la palabra, a las oraciones laicas que armonizaban con sus excepcionales dotes estéticas y su castizo enfoque.

Y hoy, deducido el gravamen del pretérito y sin adentrarnos en la hipótesis de un porvenir que la llamada Providencia le negó, regresamos a lo que en Aldecoa se muestra rotundamente original, a su concreta aportación.

Vale la pena subrayar que Aldecoa, narrador nato y neto, atento siempre a sustanciar su temática y a depurar y superar su expresión, desligado de núcleos doctrinales y tácticos, sin nexo tangible con el movimiento articulado del realismo social, distinto en concebir y proceder a los círculos rituales de equis iconoclastias, no alcanzó las merecidas vías de acceso a su público. Y que a pesar de una radical autonomía —cuyo precio es suma de soledades, que se traducen en irreparable desgaste existencial— y de no profesar postulados populistas, Aldecoa logró, "por libre," una incomparable comunicación constante con sus prójimos de las escalonadas clases.

Mientras los que le reprochaban su purismo literario —pues la realidad únicamente lo es, para nuestra acepción, al convertirse en escritura— se desenvolvían en sectores angostos, sin entronque verdadero, por ejemplo, con el mundo familiar, humoral, unitario y abigarrado, de los trabajadores, Aldecoa, que no estaba trabado por ningún prejuicio ideológico, supo aproximarse y observar, ahincadamente, con lúcida simpatía, a los obreros, a los "oficios," en las zonas extramuros o en las del Madrid viejo, a lo largo de las carreteras, aldeas y pueblos a través. La suya, una mirada que nunca captó a los semejantes como "cosas," cifras de la fórmula. Prueba al canto, al tratar de un campesino definió la condición entera de los labradores: "porque el trabajo de la tierra se hace con todo el hombre, con los ojos, con las manos, con cuerpo y alma."

Leer, releer sus cuentos es parangonable al apostarse en una esquina, a contemplar los rostros, gestos y decires de vecinos y transeúntes. Hay que adivinarles, por esos signos, gracias al rodaje de los argumentos, cazados a flecos, sus querencias. Las versiones —grafía de rasgos— de Aldecoa se equipararían a un viaje de "carro-stopping" por las llanadas de las dos Castillas, hacia tierras leonesas o del litoral cantábrico.

La plática con el paisaje —urbano o rural o de villorrio— que enmarca al hombre, depara al poeta Aldecoa la oportunidad amorosa de las acotaciones líricas. La exactitud de lo pintado y pronunciado, la fluidez expositiva de los personajes y de sus ceñidos dilemas, generalmente nada tremendistas, y este justo empleo y acusado deleite de la metáfora, equilibrados resultan por su instinto artístico, riguroso en autenticidad y permanencia.

Cualidades —de época y género— que sustentan la obra multioval de Ignacio Aldecoa, acendrada por el paso y posos de las siniestras décadas que España, ducha en aguantes, soportó. Cada fabulación suya —rarísimos los desmayos y disonancias— aúna emoción y enjundia, sin la menor marca de borrosa lejanía o anacronismo chocante. Si subsisten en Madrid puntos localizables de la transición abrupta de lo suburbial pueblerino a los presentes y achatadores colmenares (del "Solar del Paraíso" iríamos a los bloques de Chamartín, a una ruta de abrumadoras monotonías), hemos de recurrir, entre los más fieles, a los certeros "encuadres" del narrador alavés.

Tres cuartos de lo propio ocurre con su épica brega marinera y pescatera, microcosmos que tiende a decrecer y del que Aldecoa ofrecerá porosa memoria, o con las escenas indelebles, de miseria y desamparo, que peculiarizan los desgraciados y abocetan el éxodo campesino a la visceral ciudad inflada.

Los mismo puede verificarse en traslación y combinación del abundante repertorio de tipos. Comprobémoslo: "Hermana Candelas," injertable en la vaga suerte de Valentín Muñoz y en la yucateca añoranza de Lorenza Ríos.

> "Grandes y mágicos espejos"
> los que Ignacio Aldecoa instaló
> donde
> "casi todo era ayer."
> Perdurarán
> —"como el pasmo de un fotograma"—
> "la sábana del silencio"
> y el miedo confuso de la familia
> cuando "la tarde tiene
> un tinte litúrgico y noble."

Con pareja apropiación enhebraríamos claroscuros de este cálido sabor: "la nostalgia que otoña el corazón" y el fulgir de "la carretera que se lista con la sombra de los chopos." Aldecoa insiste, por ventura, en su lírica aptitud y ello sin detrimento del brío, orden y coherencia de relatos, extinguida la devoción, si prendió, de Hemingway, vigente incluso el término "viento cabestrero" que un distinguido cofrade desahució, no ha mucho, por arbitrario.

(Fácil hubiera sido obtener, de la gentileza de Tomás Cruz, preciosas remembranzas de Aldecoa, pormenores que a estas fechas no se tildarían de indiscretos, al relievar sus actitudes en las selecciones efectuadas, en el Jurado de los Premios Sésamo, durante los años iniciáticos de 1955, 56 y 58. —Después, prolongado ensimismamiento—. Aldecoa coadyuvó a propiciar el surgimiento y circulación de nuevos y estimables narradores. Pero no deseamos dentellear uno de los más sugestivos capítulos de las evocaciones que nos debe Tomás Cruz, generoso y comedido a ultranza, embrujado por el gusanillo de las artes y de las letras, que fundó y prosigue, con tenacidad encomiable, al cabo de veintitantos diciembres, el concurso y galardón de ese nombre, en las "Cuevas" de idem).

Puesto que el impar crítico ecuatoriano Franciso Tobar nos ha homologado en textura y trayectoria —lo que para mí implica honor y compromiso—, será preferible aguarde a la celebración de la cita y sosegado diálogo que mi admiración propuso a partir del momento —1968— en que coincidimos en la casa de inolvidable condiscípulo, el fino malagueño Ricardo Aguilera, para mí no fenecido. Pero Aldecoa sucumbió antes de que tejiéramos relación adecuada y en 1977 la conversación se transfiere "al más allá," de creer en tal optimismo...

Por un casual, y dado que en las esferas celestiales quizá arraigaron inercias de los apremios que en este pícaro valle de risotadas y lágrimas nos tironean, comienzo a ensayar las preguntas que a Ignacio Aldecoa se destinan. A las interrogaciones estrictas, agregaríanse glosas de los comentarios que han intentado encasillar su literatura y —plano confidencial— el juicio que el acarreo, volteretas y evolución de sonados oficiantes le inspiran. ¡El goza de una envidiable perspectiva! Y nada de particular tendría que abordásemos los sempiternos problemas de afición y propensión, de tiquismiquis tituladores y calificadores, de las quisicosas que sugestionan a los que nos aferramos a la añeja caligrafía o a las flamantes teclas.

Menos canónica que en el ajedrez, la "jugada de apertura." Consistiría en introducir al "tercer sujeto," en permitirlo. Cedamos voz y sitio a mi compadre, siamés, Andrés Nerja, especialista en interrupciones y que saldría por su indefectible petenera al emparejar, como indicios de "pathos" distintivos, esta pincelada de Isáak Bábel:

"el sol persiguió su desteñida espalda contrahecha"

y la de Aldecoa:

"el nimio sombrajo que necesita una liebre para descansar."

Cada escritor —interpolaría yo— "vuelve" a un "trémolo" que viene a ser su "tic" psicológico. El de Aldecoa lo descubriremos, a compás de este entender, tan controvertible, mediante sus módulos de compasión. El narrador-testigo se diferencia de los que comparecen en los Tribunales en que no ha de subordinarse a un Código más o menos pactado, sino que su misión consiste en auxiliarnos a buscar las huellas digitales —las claves— de un haz de protagonistas, individuos y coros, o de seleccionar aquél, principal, que al ser "careado," en múltiples posturas, resume un concepto de lo humano y propicia, al declararse, el idóneo molde artístico.

Es probable que en tanto se desarrolla la discusión que ventilaremos Andrés Nerja y yo, Aldecoa, aposentado en la alígera y suprasensible comarca que sólo alcanzaremos a escalar desprovistos de somáticos lastres, opte por oírnos y, a lo mejor, nos catalogue para el vasto futuro de su repertorio.

Nerja argüirá:

—Mal se aviene el subjetivismo que vidriosos ingenios achacan a Ignacio Aldecoa, mor de sus toques e interlineados poéticos, aunque no dejen de admitir lo poblado y enterizo de su mundo de ficción, ya que la prole inventada es de carne y hueso, de precisa entidad...

—Habrás de empalmar nariz y rabo del párrafo, porque tus incisos...

—Mil perdones. Sí, Aldecoa no perpetró la conjugación del "yo" en las historias que nos ha legado. El recoge y emplaza a unos infelices (¿quién no lo es?), en períodos bien delimitados, y una vez en sus lugares "les da cuerda." Lo confirma Dionisio Ridruejo, que tan a su vera lo calibró, al destacar que "ha cultivado poco la narración confidencial, confesional o intimista."

—Lo que nos conduce a la debatida incógnita (en Aldecoa y en el abanico de su promoción aún más candente) de que la narrativa española, a partir del tajo brutal de 1939, pese a la etiqueta que se le cuelga de "realista" es, al igual en sus exponentes peninsulares que en los exiliados, un doble fenómeno de irrealidad. Los unos, lejanos y fantasmagóricos, anclan exclusivamente en el pasado, como en condena de clausura. Los que en España medio respiraron y alientan han de padecer los efectos retardados de la contienda, se sienten separados del "común," se cocieron en la tinta de los crípticos ambientes oposicionistas.

—De ahí que un escritor de convicción absoluta como tal, no intermitente, el de laborar menos banderizo, Ignacio Aldecoa, nos haya transmitido, con superior justeza en trama y estilo, la etapa de 1949 a 1969, que los embajadores acreditados del "realismo social."

—El escribir, lo que denominamos "sincerarse," representó para Ignacio Aldecoa, además de necesidad primordial, un don cuyos predicados no era lícito desatender. Carezco de información —¿proporcionó tangibles trasuntos de su niñez?— sobre el instante en que se le reveló esta cualidad: ahí fecharíamos la orientación más característica de sus preocupaciones.

—En Aldecoa, el ciclo de la adolescencia, sus éxtasis y congojas, se mezclaron con unos cotejos educativos para él lastimosos y vejatorios, de imposiciones dizque religiosas, de mandamientos dogmáticos que le conducirían (aventuró, aditivamente, explicaciones) a reafirmar su decantación literaria. Y nada de casual en el vocablo decantación.

—Quizá, por método inconsciente, afrontó con trazos oblícuos (ni pizca de paradójico y contradictorio en ello) los sucesos de injusticia, explotación y vileza que le desvelaban su connatural tendencia de identificación e intercambio humanos.

—¿Lo acopiado y que (colegimos, una vez más) rehuyó convertir en material artístico, por comprensible cautela, le hubiera impulsado, de pervivir, a la magna empresa de radiografiar la colectividad española, con calas y catas esclarecedoras, en las oscuras, sórdidas y feroces etapas del franquismo?

—Experiencias no le faltaron, ni documentación, ni dotes para plasmarlas y entregárnoslas. Que vibrara y se aconsonantase, de haber participado en el proceso predemocrático al que asistimos, con una enunciación literaria de tan complejos, intrincados y polémicos elementos, otro villancico es.

—Pero sea cual fuere la suposición que se adopte, en Aldecoa constan los antecedentes. Labios los suyos avezados a la fonética de las escenas diarias, con enamorada fruición e inductivo despliegue. Procuró, alcanzó un estrujante contraste de la realidad objetivada (el relator se sacrificó, íntimamente) y de su púdica ternura fraternal: la que trasluce herido misterio al socaire de la palabra partera y callejera, por el gotear de las peripecias no incursas en distorsión y en las que sí aflora la fatalidad de las jornadas normales, el manar implacable de una lluvia que se vierte, parigual, en las piedras musgosas y en los corazones salmuerados.

—Disquisiciones a un lado, poseemos el corpus narrativo de Aldecoa, en sí tan válido, independientemente de que nos hubiese ilusionado que continuara su faena o de que ésta se proyectase en un clima de libertades, de practicada democracia, de cultura sin trabas ni tutelas, o que le movieran a transformar en literatura incuestionable las crudezas humanas y colectivas, los entresijos de la sociedad fraguada a imagen y semejanza del régimen despótico, los sectores que con diverso ímpetu y oscilante clarividencia encarnaron la réplica de la tiranía y aquella condicionada reivindicación de una general dignidad.

—Sería muy aleccionador levantar (y la cooperación de Aldecoa, por olímpicas auras ilustrada, ha de estimarse fundamental) el censo de criaturas que trajo al mundo o pescó de él, en sus relatos. Quienes le frecuentaron ponderan su agrado, habilidad y desenvoltura para relacionarse, sin conocimiento previo, con el mosaico popular. No se trata sólo de una nómina de fulanos y menganos, benditos o peyorativos: requieren pertinente reseña, de nuevo la búsqueda de identidades, las huellas simbológicas. Y al catálogo de héroes y antihéroes, de vírgenes y hembras, de menestrales, proletarios, chupatintas y señoritos, ancianos percudidos y desvalidos y niños cínicos o capaces de magníficos asombros, añadiría un diccionario de alegóricos y definitorios enseres, de locuciones incisivamente vulgares, que Aldecoa sembró en sus libros.

—¿No se te habrá olvidado una cronología? Yo la haría a dos columnas: aquella en que él nos confiara las datas de nacencia de sus entes y conflictos de ficción y la que estructurase, con seca historicidad, sus azares y penares en pugna con el ambiente. ¿En qué se distingue la segunda, verbigracia, con el medio y los intérpretes socioculturales, artísticos y literarios que animaron el trasfondo de los textos de Federico García Lorca, ''de la A a la Z,'' ortodoxia alfabética, con toponimia y vocabulario y suplementarias curiosidades, según los ha compuesto, para uso de brasileños, y en publicación de nova aguilar, por lo pronto, José Landeira Yrago?

—Sin embargo, y para no reiterar la predilección por los detalles, en Aldecoa, que ha entrecomillado José Domingo, me parece, para ir al grano, que lo más sobresaliente de él es su dialéctica.

—¡Esas modas, dialéctica!

—La que compete a un narrador y el mismo Aldecoa lo ratificaría. Hasta cierto punto el cebo de la anécdota es algo secundario. El proceso de transmutación prevalece, a la postre: modo y manera de considerar lo aprehendido, de verbalizarlo, elaboración en que casen las pasiones y una serenidad artesanal, vibración que raya en lo erótico y desprendimiento que linda con la mística.

Habíamos eludido el tópico de las legítimas influencias, esa trilla académica. Evitábamos el zigzagueo de Arniches a Valle-Inclán, de Baroja al binomio Azorín-Miró o a los pareados Ortega-Unamuno, Miguel Hernández-Vicente Aleixandre o a la tríada Maupassant y Chejov con el mexicano Juan Rulfo.

Andrés Nerja y yo —encubierto, pospuesto esqueleto y afilada sombra, recíprocamente— sopesaremos, en venideros encuentros, los planteamientos complementarios de la encuesta que habrá de presentarse al dictamen de Ignacio Aldecoa, si nos es dable concertar la serie de indispensables entrevistas supremas. Tiempo al tiempo. Acabamos de enviar respetuosa solicitud a la secretaría cibernética de los dioses.

Manuel Andújar
Calle de Canillas 22
Madrid, 2, España

TRES POEMAS CON IGNACIO ALDECOA

Por

Alfonso Sastre

A Ignacio, a quien tanto quisimos.

1

Soneto (¿1951?)

Este buen Aldecoa, ya marchito,
tiene aún el vigor de la estatura
que en años mozos fuera arboladura
de su nave bogando al infinito.

En el día de hoy, Señor, lo invito
a caminar conmigo en andadura
de gravedad sonora, en la amargura
del verso pronunciado y nunca escrito.

Aquí tenéis, en fin, al viejo amigo
contramaestre de su andar sonoro
con un temblor solar de popa a proa.

El fruto de la vid nace en su ombligo.
Sin saber naufragar ha naufragado
Y lo llaman Ignacio de Aldecoa.

2

Con Ignacio en Mallorca

En Palma de Mallorca la vida
no es como en otros sitios.
Nos tumbábamos en hamacas.
Pasaba el tiempo sin sentirlo.
Eramos a medias sentimentales
y a medias un poco cínicos.
—Tenemos —nos dijo una dama—
una Isla de Oro.

          Asentimos.
—Tienen ustedes —contestamos—
una Isla del Paraíso
y para venir a soñar
buenos parajes hay —decíamos.
Jaume Vidal, nuestro anfitrión,
recordaba a Rubén Darío

y que se emborrachó por la isla
llorando a veces sin motivo.
Ignacio de Aldecoa era
entre vagabundo y marino.
El Puerto de Pollensa era
entre delicado y pacífico.
Oh nos gustaba el coñac con seltz.
Oh fumábamos mil cigarrillos.
No pudimos volver por el cielo.
En la cubierta del navío
vimos la noche sobre Palma
y a lo lejos aquel molino.
¡Había sido todo un sueño!
¡Regresábamos del Paraíso!

y 3

Carta a Aldecoa

Cuántas veces hemos salido,
oh Aldecoa, con John Barleycorn.

O nos esperaba en la calle
y al fin nos encontraba John Barleycorn.

O comentábamos cualquier cosa
y aparecía John Barleycorn.

Era siempre bien recibido
entre nosotros John Barleycorn.

De esos amigos que no fallan:
¡es así nuestro John Barleycorn!

No sé con quién andas ahora
(me figuro que con John Barleycorn)

pero sé que te recuerdo mucho
y hablo de tí con John Barleycorn.

Alfonso Sastre
Virgen de Nuria 11
Barrio de la Concepción
Madrid, España

UNA NOTA AL MARGEN:
REVISTA ESPAÑOLA

Por

Arturo del Hoyo

En mayo de 1953 salió el primer número —y el último en abril de 1954— de *Revista española*, publicación bimestral de creación y de crítica. Puede decirse que fue la primera —tras el desastre de 1939— revista española de prosa no oficial, no subvencionada por organismos oficiales. Su fundador, Antonio Rodríguez Moñino, era un bibliófilo represaliado por haber intervenido, durante la guerra civil, en la salvación del tesoro artístico y bibliográfico de España. La imprimía y administraba la Editorial Castalia, crecida en la Imprenta Soler, de Valencia, la misma que en los años de la guerra civil sacaba de sus talleres la revista *Hora de España*. Esta editorial, animada en sus colecciones por Antonio Rodríguez Moñino —que había sido colaborador de aquella *Hora de España*— tenía como base —¿qué otra cosa se podía hacer entonces?— algunas colecciones de bibliofilia ("Gallardo," "Ibarra," "Cancioneros," "Floresta") de divulgación de clásicos españoles ("Odres nuevos") y una tímida colección de "Prosistas contemporáneos," en la que se contaba con Antonio Díaz Cañabate (*Historia de una taberna*), Juan Antonio Gaya Nuño (*El santero de San Saturio*) y Camilo José Cela (*Baraja de invenciones*), colección enriquecida, en el curso de 1953, con *El hombre y lo demás*, cuentos de Jorge Campos, y en 1954, con *Los bravos*, primera novela de Jesús Fernández Santos.

1953, año en que salió el primer número de *Revista española*, está situado literariamente entre la aparición de *Obra escogida* (1952) de Miguel Hernández y la publicación de las *Obras completas* (1954) de Federico García Lorca. Como dijo entonces un periodista en el diario *Ya*, de Madrid, a propósito de la mencionada edición de Miguel Hernández, estaban saliendo "las ratas" en el barco; es decir, se estaba reanudando tímidamente la tradición cultural española. A esta reanudación contribuyó la *Revista española*. ¿Cómo? ¿Cuánto? El balance, en 1954, año en que muere, pudo parecer escaso, incluso a la propia redacción de la revista. En la última página del último número confiesa:

"Al cabo de un año de vida no se han conseguido más que veintisiete suscripciones, ni se ha logrado vender más que ochenta ejemplares."

Es una despedida triste, muy triste, pero orgullosa:

"No es cosa de averiguar ahora si hemos logrado nuestro propósito; vale más dejar que pase el tiempo y dejar que sean las cosas quienes hablen por nosotros. Y, entre tanto, ahí quedan los trabajos aparecidos en *Revista española* y el nombre de sus autores. Que otros nos expliquen cuál ha sido el clima en que quiso alentar nuestra revista y cuáles fueron las preocupaciones de la sociedad en que pudo sustentarse."

Los nombres de sus autores: Rafael Sánchez Ferlosio, José María de Quinto, Jesús Fernández Santos, Manuel Pilares, Carmen Martín Gaite, Josefina Rodríguez, Medardo Fraile, R. Rodríguez Buded, J. A. Gaya Nuño, Carlos Edmundo de Ory, Juan Benet, Jorge Campos, Ramón Solís, Manuel Sacristán, Luis Delgado Benavente, Alfonso Sastre, Lola Aguado...y, ah, Ignacio Aldecoa, quien —además de colaborar con sus cuentos "A ti no te enterramos" y "Muy de mañana"— se ocupaba de la correspondencia y originales de la revista en su domicilio personal, Paseo de La Florida 63, en Madrid, orilla del río Manzanares.

Arturo del Hoyo
Conde Duque 13
Madrid, 8. España

RESUMEN DE UN ESCRITOR

Por

Medardo Fraile

Aldecoa fue un escritor con vocación, sencillo, bueno, revoltoso en el diálogo, amigo de costumbres y de gentes humildes, mal educado en apariencia, respetuoso en realidad, con un fondo de ternura que ocultaba siempre —mal, a veces—, y el corazón bien repartido entre la familia, un perro dogo, los amigos, los libros y —como buen vasco— las cosas y gente del mar y el arte culinario. Aldecoa leía mucho y manejaba a diario, como herramienta de su profesión, el Diccionario de la Lengua Española. En su prosa se nombran con precisión objetos que no les importa a otros escritores, ni los nombran, como las *cabillas* en el grifo de un lavabo. *Cabillas* es también vocablo relacionado con el mar, igual que otros muchos términos marineros que Aldecoa utilizaba en su prosa. Y, además, palabras del caló y de germanía.

Aldecoa tenía gracia y buen oído para el diálogo, que era verdadero, vivo. Aldecoa tenía estilo, pero el estilo, a veces, le dominaba. Me atrevería a decir que un estimable número de sus cuentos se frustraron por eso: por dar primacía a las palabras. Tenemos la sensación de que el escritor ponía sobre su mesa treinta o cuarenta vocablos y, a continuación, el título o la primera línea de un cuento, y se empeñaba en colocarlos todos. Pero es elevado el número de sus buenos cuentos. Quiero especialmente subrayar uno de *Caballo de pica*: "Patio de armas." No hay en España muchos documentos tan fidedignos como éste, de lo que fue la situación de los chicos que empezaban el bachillerato al estallar la Guerra Civil.[1] La preocupación suya por nuestra generación —a la que han llamado "puente," "frustrada" y "machacada"— la llevó Aldecoa a la novela que escribía antes de morir, *Años de crisálida*, inconclusa. Aldecoa nos ha descrito también, y magistralmente, cómo matan el hambre, qué hacían en España para ir viviendo, las gentes humildes: en "Seguir de pobres," "Los hombres del amanecer," "A ti no te enterramos," "Muy de mañana," "Un cuento de Reyes," "Young Sánchez," etc. Sus técnicas han sido varias. La minuciosidad reporteril o intrahistórica de un Hemingway, la emanación de ambientes como un vaho y la pastosa conjugación de tiempos de un Faulkner y la objetividad, no tan objetiva y sosa como algunos quisieran, de un

Robbe-Grillet. Su mejor novela, *Gran Sol*, cae dentro de la última tendencia, la "escuela de la mirada." El título de su primera novela, *El fulgor y la sangre*, (1954), nos pone en la pista de Faulkner, pero se rastrea más a Hemingway. Pese a lo dicho, "debe hacerse constar que en Aldecoa no hay mimetismo. Hay más sentido de la contemporaneidad que otra cosa cualquiera y, sobre todo, hay respuesta al medio social e histórico al que pertenece."[2] Algunos críticos creyeron que Aldecoa escribía a merced de varias influencias y, una de las señaladas, fue la de Cela, pero Aldecoa, cuando creaba incluso en esa línea, que no ha inventado Cela, era distinto: Cela y Aldecoa habían leído a Valle-Inclán, Unamuno, Baroja, Eugenio Noel, José Gutiérrez Solana, Carranque de Ríos; habían leído a Cervantes, Quevedo, Mateo Alemán, etc. Ahora es ya tiempo de hilar más fino; baste, si no, ahondar en su "Historia del callejón de Andín," de *Vísperas del silencio*. Con su muerte temprana, "España ha perdido...un novelista muy digno, un cuentista fabuloso, un prosista de los que entran pocos en docenas de años..."[3]

Medardo Fraile
Strathclyde University
Glasgow, Scotland

NOTAS.

*Fragmento del artículo "Guía del cuento contemporáneo en España," *Cahiers de Poétique et de Poésie ibérique et latino américaine*, Universidad de París (Nanterre X), núm. 2, Junio, 1976. Incluido en este volumen con el permiso del autor.

1. En novela, *El otro árbol de Guernica*, de Luis de Castresana, es un documento inolvidable.

2. Eduardo Tijeras, *Ultimos rumbos del cuento español*, Editorial Columba, Buenos Aires, 1969. p. 77.

3. Antonio Iglesias Laguna, "El escritor Ignacio Aldecoa," *Estafeta Literaria*, Diciembre, 1, 1969. Véase, en ese mismo número, el artículo de Carmen Martín Gaite "Un aviso: Ha muerto Ignacio Aldecoa," recogido posteriormente en su libro *La búsqueda de interlocutor y otras búsquedas*, Nostromo, Madrid, 1973.

SELECCION BIBLIOGRAFICA

SELECCION BIBLIOGRAFICA

A. OBRAS DE IGNACIO ALDECOA

Aldecoa, Ignacio. "El arte de novelar." *Cuadernos Hispanoamericanos*, Núm. 45 (septiembre 1953), 401.

————. *El fulgor y la sangre*. Barcelona: Planeta, 1954.

————. *Vísperas de silencio*. Madrid: Taurus, 1955.

————. *Con el viento solano*. Barcelona: Planeta, 1956.

————. "Yo escribo de lo que tengo cerca, que es más bien triste." *La Estafeta Literaria*, Núm. 42 (1956), 8.

————. *Gran sol*. Barcelona: Noguer, 1957.

————. *El corazón y otros frutos amargos*. Madrid: Arión, 1959.

————. *Arqueología*. Barcelona: Ed. Rocas, 1961.

————. *Caballo de pica*. Madrid: Taurus, 1961.

————. *Cuaderno de Godo*. Madrid: Arión, 1961.

————. *Un mar de historias*. Madrid: ANCO, 1961.

————. *Neutral corner*. Barcelona: Lumen, 1962.

————. *El país vasco*. Barcelona: Noguer, 1962.

————. *Los pájaros de Baden-Baden*. Madrid: Ed. Cid, 1965.

————. *Parte de una historia*. Barcelona: Noguer, 1967.

————. *Santa Olaja de acero y otras historias más*. Madrid: Alianza, 1968.

————. *La tierra de nadie y otros relatos* (Prólogo de Ana María Matute). Barcelona: Salvat, 1970.

————. *Cuentos completos*. Ed. Alicia Bleiberg. 2 vols. Madrid: Alianza, 1973.

B. ESTUDIOS SOBRE IGNACIO ALDECOA Y SU OBRA

Alborg, Juan Luis. *Hora actual de la novela española*. Vol. I. Madrid: Taurus, 1958.

————. "Los novelistas: Ignacio Aldecoa." *Índice de Artes y Letras*, Núms. 100–101 (abril-mayo, 1957), 4–5.

Amorós, Andrés. *Introducción a la novela contemporánea*. Salamanca: Ediciones Anaya, 1966.

Anderson Imbert, Enrique. *El cuento español*. Buenos Aires: Editorial Columba, 1959.

—————. *¿Qué es la prosa?* Buenos Aires: Editorial Columba, 1957.

—————. y Kiddle, Lawrence B., Eds. *Veinte cuentos españoles del siglo XX*. New York: Appleton-Century Crofts, 1961.

Anónimo. "*Con el viento solano*." *Papeles de Son Armadans*, 1, Núm. 6 (1956), 95–96.

Anónimo. "Entrevista con Ignacio Aldecoa." *Las Provincias*, Valencia (10 de noviembre, 1968).

Anónimo. "*El fulgor y la sangre*." *Correo Literario*, Núm. 10 (1955), 33.

Anónimo. "*El fulgor y la sangre*." *Índice de Artes y Letras*, Núm. 81 (1955), 23.

Anónimo. "*Gran Sol*." *Ciervo*, Núm. 63 (1958), 6.

Anónimo. "*Gran Sol*." *Nuestro Tiempo*, Núm. 45 (1958), 384.

Anónimo. "Ignacio Aldecoa, finalista del 'Planeta' habla un poquito de cuentos y bastante más de novelas." *Ateneo*, Madrid, 1 de noviembre de 1954, p. 7.

Anónimo. "Ignacio Aldecoa: programa para largo." *Destino*, Núm. 956 (diciembre 1955), 37.

Anónimo. "Pesca de altura; *Gran Sol*." *Ciervo*, Núm. 63 (1958), 6.

Anónimo. "Preguntas a Ignacio Aldecoa." *Índice de Artes y Letras*, Núm. 132 (diciembre 1959), 4.

Arce Robledo, Carlos de. "Ignacio Aldecoa." *Virtud y letras*, Bogotá, Núm. 17 (1958), 105–113.

—————. *Cuentistas contemporáneos*. Barcelona: Edición Rumbos, 1958.

Aub, Max. *Discurso de la novela española contemporánea*. México: El Colegio de México, 1945.

—————. *Manual de literatura española*. Vol. 2. México: Editorial Pormaca, 1966.

Baquero-Goyanes, Mariano. *Estructura de la novela actual*. Barcelona: Editorial Planeta, 1970.

—————. *Problemas de la novela contemporánea*. 2a ed. Madrid: Ateneo, 1956.

—————. *Proceso de la novela actual*. Madrid: Rialp, 1963.

—————. *¿Qué es la novela?* Buenos Aires: Ediciones Columba, 1961.

—————. "Situación de la novela actual." *La Estafeta Literaria*, Núm. 223 (1961), 1–5, 25.

B. R., B. "*Con el viento solano*." *Índice de Artes y Letras*, Núm. 93 (septiembre 1956), 20.

134

Baeza, Fernando, Ed. *Baroja y su mundo*. Vol. I. Madrid: Ediciones Arión, 1961.

Benítez Claros, Rafael. *Visión de la literatura española*. Madrid: Rialp, 1963.

Borelli, M. *"Gran Sol." Books Abroad*, Núm. 33 (1959), 200.

Bosch, Rafael. *La novela española del siglo XX*. New York: Las Américas, 1970.

Borau, Pablo. *El existencialismo en la novela de Ignacio Aldecoa*. Zaragoza, 1974.

Bruce, Christy. "Death in the Short Stories of Ignacio Aldecoa." Tesis de Maestría de la University of North Carolina (Chapel Hill), 1973.

Buckley, Ramón. *Problemas formales en la novela española contemporánea*. Barcelona: Ediciones Península, 1968.

Butler, C. W. "Ignacio Aldecoa: *Santa Olaja de acero y otras historias.*" *Hispania*, 52, Núm. 4 (diciembre, 1969), 967.

Cano, José Luis. *"Caballo de pica." Ínsula*, 16, Núms. 176–177 (julio-agosto 1961), 12–13.

————. *"Gran Sol." Ínsula*, 13, Núm. 136 (marzo 1958), 6–7.

Carlisle, Charles R. "Amos and Haggai: Sources of Thematic Motif and Stylistic Form in Ignacio Aldecoa's *Con el viento solano.*" *Bulletin of the Rocky Mountain Mod. Lang. Assn.*, 26 (1972), 83–88.

————. *Ecos del viento, silencios del mar: La novelística de Ignacio Aldecoa*. Madrid: Playor, 1976.

————. "The Novels of Ignacio Aldecoa." *Dissertation Abstracts International*, 32 (1972), 957A (Ariz.)

Castellet, José María. "Coloquio internacional sobre novela en Formentor." *Cuadernos del Congreso por la Libertad de la Cultura*, Núm. 38 (septiembre-octubre 1959), 82–86.

————. "De la objetividad al objeto." *Papeles de Son Armadans*, 15 (1957), 309–332.

————. "El primer coloquio internacional sobre la novela." *Ínsula*, 14, Núms. 152–153 (julio-agosto 1959), 19–32.

————. *La hora del lector*. Barcelona: Seix Barral, 1957.

————. "La joven novela española." *Sur*, Núm. 284 (septiembre-octubre 1963), 48–54.

————. "La novela española, quince años después (1942–1957)." *Cuadernos del Congreso por la Libertad de la Cultura*, Núm. 33 (noviembre-diciembre 1958), 48–52.

Castro, Fernando-Guillermo de. "Ignacio Aldecoa entre el alcohol y el mar." *Índice de Artes y Letras*, Núm. 260 (diciembre 1969), 28–30.

Cela, Camilo José. "Dos tendencias de la nueva literatura española." *Papeles de Son Armadans*, 7, Núm. 79 (octubre 1962), 1–20.

Cirre, José Francisco. "El protagonista múltiple y su papel en la reciente novela española." *Papeles de Son Armadans,* 9, Núm. 98 (mayo 1964), 159–170.

Clotas, Salvador. "Meditación precipitada y no premeditada sobre la novela en la lengua castellana." *Cuadernos para el Diálogo.* Núm. 14 Extraordinario (mayo 1969), 7–18.

Coindreau, Maurice E. "Homenaje a los jóvenes novelistas españoles." *Cuadernos del Congreso por la Libertad de la Cultura,* Núm. 33 (noviembre-diciembre 1958), 44–47.

Corrales Egea, José. *La novela española actual.* Madrid: Cuadernos para el Diálogo, 1971.

―――――. "Situación actual de la novela española." *Ínsula,* 25, Núm. 282 (mayo 1970), 21–24.

Corrales Egea, Luis. "¿Crisis de la nueva literatura?" *Ínsula,* 20, Núm. 223 (junio 1965), 3–10.

Couffon, Claude. "Las tendencias de la novela española actual." *Revista Nacional de Cultura,* Caracas, Núm. 154 (1962), 14–27.

Curutchet, Juan Carlos. *Introducción a la novela española de post-guerra.* Montevideo: Editorial Alfa, 1966.

Delibes, Miguel. "Notas sobre la novela española contemporánea." *Cuadernos del Congreso por la Libertad de la Cultura,* Núm. 63 (agosto 1962), 34–38.

―――――; Figueroa, J. Fernández y Castellet, José María. "La novela española contemporánea." *Índice de Artes y Letras,* Núm. 173 (mayo 1963), 9–13.

Díaz, Janet W. "The Contemporary Spanish Novel." *South Atlantic Bulletin,* 29, Núm. 4 (November 1964), 1–4.

―――――. "The Novels of Ignacio Aldecoa." *Romance Notes,* II, Núm. 3 (Winter 1969), 475–481.

―――――. "The Spanish Novel from Ortega to Castellet: Dehumanization of the Artist." *Hispania,* 50, Núm. 1 (1967), 35–43.

Díaz-Plaja, Guillermo. *Historial general de las literaturas hispánicas.* Barcelona: Editorial Vergana, 1967.

―――――. *La creación literaria en España. Primera bienal de crítica: 1966–1967,* Madrid: Aguilar, 1968.

―――――. *"Parte de una historia."* *ABC,* Madrid (3 de agosto de 1967), 13.

Domenech, Ricardo. "Meditación sobre estética narrativa." *Ínsula,* 16, Núm. 175 (junio 1961), 4.

―――――. "Meditación sobre estética narrativa." *Ínsula,* 26, Núm. 290 (enero 1971), 5.

Domingo, José. "Del realismo crítico a la nueva novela." *Ínsula,* 26, Núm. 290 (enero 1971), 5.

————. *La novela española del siglo XX*. Vol. II. Barcelona: Labor, 1973.

————. *"Parte de una historia." Ínsula*, 22, Núm. 252 (noviembre 1967), 4.

————. *"Santa Olaja de acero y otras historias." Ínsula*, 24, Núm. 267 (febrero 1969), 5.

Duncan, Bernice G. "Three Novelists from Spain." *Books Abroad*, 39, Núm. 1 (1965), 165–166.

Durán, Manuel. "Spanish Fiction in 1965." *Books Abroad*, 40 Núm. 2 (1966), 143–145.

Eoff, Sherman H. *El pensamiento moderno y la novela española*. Barcelona: Seix Barral, 1965.

Escobar, Hipólito y García Mazas, José, Eds. *Primera antología sonora de autores españoles contemporáneos*. Philadelphia: Chilton, 1965.

Espadas, Elisabeth. "Técnica literaria y fondo social del cuento 'A ti no te enterramos,' de Ignacio Aldecoa." *Papeles de Son Armadans*, 21, Núms. 245–246 (agosto-setiembre 1967), 163–176.

Esteban Soler, H. "Narradores españoles de Medio Siglo" en *Miscellanea di studi ispanici*. Pisa: Universitá di Pisa, 1971-73, pp. 217–370.

Fernández Almagro, Melchor. *"Con el viento solano." ABC*, Madrid (9 de julio de 1956), 81.

————. *"El fulgor y la sangre." ABC*, Madrid (3 de abril de 1955), 51.

————. *"Gran Sol." ABC*, Madrid (8 de febrero de 1958), s/p.

————. "Esquema de la novela española contemporánea." *Clavileño*, Núm. 5 (septiembre-octubre 1950), 15-28.

Fernández-Braso, Miguel. "Ignacio Aldecoa levanta acta de los *Años de crisálida." Índice de Artes y Letras*, Núm. 236 (octubre 1968), 41–43.

Fernández Santos, Jesús. "Ignacio y yo." *Ínsula*, 25, Núm. 280 (marzo 1970), 2.

Fiddian, Robin W. "Urban Man and the Pastoral Illusion in Ignacio Aldecoa's *Parte de una historia." Revista de Estudios Hispánicos*, 9 (October 1975), 371–399.

Fisher, Otto O. "La tragedia humilde en la narrativa de Ignacio Aldecoa." *Dissertation Abstracts International*, 32 (1971), 3301A (Univ. of Miami).

Fraile, Medardo. "Guía del cuento contemporáneo en España," *Cahiers de Poétique et de Poésie ibérique et latino américaine*, Universidad de París (Nanterre X), núm. 2 (Junio, 1976), s/p.

G. "Pájaros y espantapájaros." *Cuadernos Hispanoamericanos*, Núms. 175–177 (1964), 294.

García López, José. *Historia de la literatura española*. 7a ed., ampliada. (Edición especial para Las Américas Publishing Co., New York), Barcelona: Editorial Vicens, 1963.

G[arcía] L[uengo]. "Ignacio Aldecoa: *El fulgor y la sangre.*" *Índice de Artes y Letras,* Núm. 81 (1955), 23.

García Pavón, Francisco, Ed. *Antología de cuentistas españoles contemporáneos (1939–1958).* Madrid: Editorial Gredos, 1959.

──────. *Antología de cuentistas españoles contemporáneos (1939–1966).* Madrid: Editorial Gredos, 1966.

──────. "Ignacio Aldecoa, novelista, cuentista." *Índice de Artes y Letras,* Núm. 164 (marzo 1961), 4.

García-Viñó, Manuel. "Los cuentos de Ignacio Aldecoa." *Arbor,* 335 (1973), 133–135.

──────. *Ignacio Aldecoa.* Madrid: Espesa, 1972.

──────. "Ignacio Aldecoa, al margen del realismo." *Nuestro Tiempo,* Núm. 187 (enero 1970), 32–46.

──────. "Ignacio Aldecoa y la expresión novelística." *Reseña,* Núm. 26 (febrero 1969), 3–11.

──────. *La novela española actual.* Madrid: Guadarrama, 1967.

──────. "Última hora de la novela española." *Nuestro Tiempo,* Núm. 137 (noviembre 1965), 23–37.

Garciasol, Ramón de. *"Vísperas del silencio."* *Ínsula,* 10, Núm. 115 (julio 1955), 6–7.

Gil Casado, Pablo. *La novela social española.* Barcelona: Seix Barral, 1968.

Gómez de la Serna, Gaspar. "Un estudio sobre la literatura social de Ignacio Aldecoa." *Ensayos sobre la literatura social.* Madrid: Ediciones Guadarrama, 1971, 67–210.

González López, Emilio. "Las novelas de Ignacio Aldecoa." *Revista Hispánica Moderna,* 26, Núms. 1–2 (enero–abril 1960), 112–113.

Gortari, C. *"Con el viento solano."* *Nuestro Tiempo,* Núm. 33 (1957), 381–382.

Goytisolo, Juan. *Problemas de la novela.* Barcelona: Seix Barral, 1959.

Granjel, Luis S. "La novela corta en España (1907–1936). La novela durante los años veinte." *Cuadernos Hispanoamericanos,* 15, Núms. 223–225 (septiembre 1968), 14–50.

Grupp, William J. "Two Representatives of the Rising Young Generation of Spanish Novelists: José Luis Castillo Puche and Ignacio Aldecoa." *Kentucky Foreign Language Quarterly,*, Núm. 2 (1960), 80–86.

Guillermo, Edenia y Hernández, Juana Amelia. *La novelística española de los 60.* New York: Eliseo Torres, 1971.

Gullón, Ricardo. "The Modern Spanish Novel." *Texas Quarterly,* Núm. 4 (Spring 1961), 79–96.

──────── y Schade, George D., Eds. *Literatura española contemporánea.* New York: Scribner's Sons, 1965.

Helman, Edith y Arjona, Doris K., Eds. *Narradores de hoy.* New York: W. W. Norton, 1966.

Hernández, Antonio. "El escritor, al día: Ignacio Aldecoa." *La Estafeta Literaria,* Núm. 421 (1969), 10–11.

Huertas Vázquez, Eduardo. "Realismo: perspectiva general." *Cuadernos Hispanoamericanos,* Núm. 241 (enero 1970), 113–126.

Iglesias Laguna, Antonio. "Duelo generacional." *Cuadernos Hispanoamericanos,* Núm. 172 (abril 1964), 1–18.

────────. "El escritor Ignacio Aldecoa." *La Estafeta Literaria,* Núm. 433 (diciembre 1969), 8–12.

────────. *Treinta años de novela española, 1938–1968.* Vol. 1. Madrid: Editorial Prensa Española, 1969.

Jelniski, Jack B. "Formal Unity in the Novels of Ignacio Aldecoa." *Dissertation Abstracts International,* 35 (1974), 2992A-93A (Wisconsin, Madison).

Kurz, Paul Conrad y otros. *La nueva novela europea.* Madrid: Guadarrama, 1968.

Mancisidor, José. "La literatura española bajo el signo de Franco." *Cuadernos Americanos,* Núm. 62 (mayo-junio 1952), 26–48.

Marco, Joaquín. "En torno a la novela social española." *Ínsula,* 18, Núm. 202 (septiembre 1963), 13.

Marra-López, José Ramón. "El corazón y otros frutos amargos." *Ínsula,* 14, Núm. 156 (noviembre 1959), 6.

────────. "Libros de viajes." *Ínsula,* 20, Núm. 220 (marzo 1965), 7.

────────. "Lirismo y esperpento en la obra de Ignacio Aldecoa." *Ínsula,* 20, Núm. 226 (septiembre 1965), 5.

────────. *"Neutral corner." Ínsula,* 18, Núm. 204 (noviembre 1963), 4.

Martín Gaite, Carmen. "Apuntes urgentes para la biografía de un joven novelista. Un aviso: ha muerto Ignacio Aldecoa." *La Estafeta Literaria,* Núm. 433 (diciembre 1969), 4–7.

Martínez, José María. *La novela española entre 1939 y 1969: historia de una aventura.* Madrid: Castalia, 1973.

Martínez Cachero, José María. "Ignacio Aldecoa: 'Seguir de pobres'" en *El comentario de textos, 2.* Madrid: Castalia, 1974, pp. 179–212.

Martínez Ruiz, Florencio. "Nueva lectura de Ignacio Aldecoa." *ABC,* Madrid (2 de diciembre de 1973), 13.

Matute, Ana María. Prólogo a *La tierra de nadie y otros relatos* por Ignacio Aldecoa. Navarra: Salvat Editores, 1970.

Mayer, Roger N. "¿Existe una joven literatura española?" *Cuadernos del Congreso por la Libertad de la Cultura*, Núm. 33 (noviembre-diciembre 1958), 53–58.

Montero, Isaac. "La realidad crea formas (o la lección de Ignacio Aldecoa)." *Camp de l'Arpa*, 9 (1974), 26, 28.

Mostaza, B. "*Gran Sol.*" *El Libro Español*, 2, Núm. 17 (mayo 1959), 321.

Muñiz, Mauro. "*Gran Sol.*" *La Estafeta Literaria*, Núm. 51 (1956), 4.

Navales, Ana María. *Cuatro novelistas españoles: M. Delibes, I. Aldecoa, D. Sueiro, F. Umbral*. Madrid: Ed. Fundamentos, 1974.

Nora, Eugenio G. de. "La novela corta en la España de hoy." *Studies in Short Fiction*, Núm. 2 (Winter 1966), 207–214.

————. *La novela española contemporánea*. Vol. 2, Madrid: Editorial Gredos, 1962.

Olmos García, F. "La novela y los novelistas españoles de hoy." *Cuadernos Americanos*, 22, Núm. 4 (julio-agosto 1963), 211–237.

Olstad, Charles. "*Parte de una historia.*" *Books Abroad*, 42, Núm. 2 (1968), 555.

Orgaz, Manuel. "Novela joven." *Cuadernos Hispanoamericanos*, Núm. 106 (octubre 1958), 97–99.

P. P., B. "Una novela del mar [*Gran Sol*]." *Papeles de Son Armadans*, 9 (1958), 235–236.

Paseyro, Ricardo. "*Gran Sol.*" *Cuadernos del Congreso por la Libertad de la Cultura*, Núm. 33 (noviembre-diciembre 1958), 3.

Patt, Beatrice P. y Nozick, Martin. *Spanish Literature since the Civil War*. New York: Dodd Mead, 1973.

*Pérez, Carlos. "The Novels of Ignacio Aldecoa." Tesis Doctoral de la University of North Carolina (Chapel Hill), 1976.

Pérez Firmat, Gustavo. "The Structure of *El fulgor y la sangre.*" *Hispanic Review*, 45 (Winter 1977), 1–12.

Pérez-Minik, Domingo. *Novelistas españoles de los siglos XIX y XX*. Madrid: Guadarrama, 1957.

Perlado, José Julio. "Ignacio Aldecoa escribe *Parte de una historia*." *El Alcázar* (5 de mayo de 1967), 21.

Porcel-Pujol, Baltasar. "Una novela del mar (*Gran Sol*)." *Papeles de Son Armadans*, 3, Núm. 4 (1958), 235–236.

Prjevalinsky Ferrer, Olga. "Las novelistas españolas de hoy." *Cuadernos Americanos*, Núm. 158 (septiembre-octubre 1961), 211–223.

*El apéndice bibliográfico del estudio de C. P. nos ha valido de útil complemento en la preparación de esta bibliografía. Eds.

R. P. *"Gran Sol."* *Cuadernos del Congreso por la Libertad de la Cultura*, Núm. 33 (1958), III.

Río, Ángel del. *Historia de la literatura española*. Vol. 2. Edición revisada. New York: Holt, Rinehart and Winston, 1963.

Roberts, Gemma. *Temas existenciales en la novela de la postguerra*. Madrid: Gredos, 1973.

Roig, Rosendo. "Carta abierta a Ignacio Aldecoa (Reseña de *Gran Sol*)." *La Hora*, Madrid (8 de febrero, 1958), s/p.

Rosa, Julio de la. "Notas para un estudio sobre Ignacio Aldecoa." *Cuadernos Hispanoamericanos*, Núm. 241 (enero 1970), 188–196.

Rubio, Rodrigo. *Narrativa española*. Madrid: Epesa, 1970.

Ruiz Villalobos, María del Carmen. "Ignacio Aldecoa ha nacido para vivir la vida y para escribirla." *El Español*, Madrid, 20-26 de marzo de 1955, pp. 45–48.

Sainz de Robles, Federico C. *La novela corta española*. Madrid: Aguilar, 1952.

—————. *La novela española del siglo XX*. Madrid: Ediciones Pegaso, 1957.

—————. *Panorama literario 1954*. Vol. 2. Madrid: Aguilar, 1955.

Salinas, Pedro. *Literatura española en el siglo XX*. México, D.F.: Editorial Séneca, 1941.

Salvador, Gregorio. "La Palma y la Graciosa, sustancias novelescas." *Homenaje a Elías Serra Ráfols*, III (1973), 297–314.

Santos, Dámaso. "La honradez y riqueza de Ignacio Aldecoa." *Generaciones Juntas*. Madrid: Editorial Bullón, 1962, 16–20.

—————. "Una pasión conducida con inteligencia." *Índice de Artes y Letras*, Núm. 132 (enero 1960), 4.

Sanz Villanueva, Santos. *Tendencias de la novela española actual*. Madrid: Cuadernos para el Diálogo, 1972.

Sassone, Helena. "Hacia una interpretación de la novela española actual." *Revista Nacional de Cultura*, Caracas, Núos. 142-143 (1960), 43–57.

Sastre, L. "La vuelta de Ignacio Aldecoa." *La Estafeta Literaria*, Tercera época, 1969 (15 de agosto de 1959), 23–24.

Senabre, Ricardo. "La obra narrativa de Ignacio Aldecoa." *Papeles de Son Armadans*, 15, Núm. 166 (1970), 5–24.

Slater, Cheryl W. "Ignacio Aldecoa's View of Reality." *Dissertation Abstracts International*, 32 (1972), 7006A (L.A. State).

Sobejano, Gonzalo. "Notas sobre lenguaje y novela actual." *Papeles de Son Armadans*, 11, Núm. 118 (1966), 125–140.

—————. *Novela española de nuestro tiempo*. 2a ed. Madrid: Ed. Prensa Española, 1970.

141

Sordo, Enrique. *"Con el viento solano." Revista,* Barcelona, Núm. 205 (1956), 14.

Suárez Alba. "Ignacio Aldecoa, escritor en primera línea." *La Gaceta del Norte,* Bilbao, 10 de mayo de 1968, p. 3.

Tijeras, Eduardo. *Últimos rumbos del cuento español.* Buenos Aires: Editorial Columba, 1969.

Torre, Guillermo de. "Afirmación y negación de la novela española contemporánea." *Ficción,* 2 (julio-agosto, 1956), 122–141.

Torrente Ballester, Gonzalo. *Literatura española contemporánea: estudio crítico.* Vol. 1, 4a ed. Madrid: Ediciones Guadarrama, 1969.

————. *Panorama de la literatura española contemporánea.* Madrid: Ediciones Guadarrama, 1965.

Torres, Raúl. "Ignacio Aldecoa: Parte de una historia." *Cuadernos Hispanoamericanos,* Núm. 219 (marzo, 1968), 623–636.

Tudela, Mariano. "Reflexiones ante dos libros de narraciones [*Espera . . . y Vísperas . . .*]." *Cuadernos Hispanoamericanos,* 25, Núm. 70 (1955), 114–115.

Umbral, Francisco. "En la muerte de Ignacio Aldecoa." *La Estafeta Literaria,* Núm. 433 (diciembre, 1969), 12.

Undarraga, Antonio de. *Autopsia de la novela. (Teoría y práctica de los narradores).* México: B. Costa Amic Editor, 1967.

Valbuena Briones, Ángel. "Perspectiva de la novela española." *Arbor,* 282 (junio 1969), 53–59.

Valbuena-Pratt, Ángel. *Historia de la literatura española.* 7a ed. 3 vols. Barcelona: Gustavo Gili, 1963.

Varela Jácome, Benito. *Renovación de la novela en el siglo XX.* Barcelona: Ediciones Destino, 1967.

Villa Pastor, J. *"Gran Sol." Archivum,* Oviedo, 7 (1957), 358–360.